CB143447

A cada dia um novo começo

KAREN CASEY

A cada dia um novo começo

Em busca de força, coragem e inspiração para construir um futuro melhor

Conte sempre comigo e
com todo o amor que
tenho por você.
Parabéns! Você é especial!
Te amo,
Sil.

02.12.07

SEXTANTE

Título original: *Each Day a New Beginning*
Copyright © 1982 por Karen Casey
Copyright da tradução © 2007 por GMT Editores Ltda.
Publicado em acordo com a Hazelden Publishing & Educational Service, Center City, MN, EUA. Representado no Brasil por Katia Schumer Literary Agency.
Todos os direitos reservados.

tradução
Ana Quintana

preparo de originais
Simone Intrator
Virginie Leite

revisão
Tereza da Rocha
Sérgio Bellinello Soares

projeto gráfico e diagramação
Valéria Teixeira

capa
Silvana Mattievich

pré-impressão
ô de casa

impressão e acabamento
Associação Religiosa Imprensa da Fé.

CIP-BRASIL. CATALOGAÇÃO-NA-FONTE
SINDICATO NACIONAL DOS EDITORES DE LIVROS, RJ

C332c Casey, Karen, 1939-

A cada dia um novo começo / Karen Casey [tradução de Ana Quintana]. – Rio de Janeiro: Sextante, 2007.

Tradução de: Each day a new beginning
ISBN 978-85-7542-326-4

1. Devoções diárias. 2. Meditações. 3. Vida espiritual. I. Título.

CDD 242.2
07-2734 CDU 242

Todos os direitos reservados, no Brasil, por
GMT Editores Ltda.
Rua Voluntários da Pátria, 45 – Gr. 1.404 – Botafogo
22270-000 – Rio de Janeiro – RJ
Tel.: (21) 2286-9944 – Fax: (21) 2286-9244
E-mail: atendimento@esextante.com.br
www.sextante.com.br

Introdução

"A vida ou é uma aventura ousada ou não é nada."

– Helen Keller

Passei anos sem acreditar no meu valor, na minha capacidade, na minha força. Por diversas vezes fracassei no teste da vida. Não entendia qual era a fonte de toda a força e de toda a bondade. Procurava saídas que faziam com que eu me embrenhasse cada vez mais no labirinto: primeiro, busquei ajuda em ligações amorosas; depois, no álcool e nas drogas. Esperava obter segurança, mas só encontrei mais desespero.

Há sete anos, descobri o Al-Anon, um grupo de ajuda espiritual para familiares e amigos de alcoólatras, que me abriu as portas para uma nova forma de viver. Um ano depois, com os Alcoólicos Anônimos (A.A.), consegui encontrar um novo e verdadeiro caminho. O programa de recuperação criou raízes onde não havia nada. Passei a ter coragem de fazer coisas que temia no passado e voltei a sentir que pertencia à raça humana.

Um dos meus maiores ganhos com o programa, no entanto, foi a descoberta da amizade feminina. Durante anos desconfiei das mulheres, achando que estavam interessadas no meu namorado, no meu amante, no meu marido. Eu tinha certeza de que elas não mereciam confiança. Nas reuniões, ao escutar seus relatos, percebi como somos todas parecidas. Minha ansiedade diminuiu. E, mais importante, passei a ter amigas, companheiras de viagens espirituais.

Nos últimos anos, recebi de muitas delas as mensagens que eu precisava ouvir para me reerguer. Aprendi a prestar atenção no que as mulheres tinham a dizer e, com isso, aumentou o meu desejo de conhecer as opiniões de personagens femininas de todas as áreas, todas as experiências, todas as épocas da História. Neste livro, trago as palavras de muitas mulheres, próximas e distantes, algumas se recuperando de vícios, outras ainda sofrendo, outras sem lutar contra nada em particular, mas, mesmo assim, lutando.

Apesar da forte presença do olhar feminino em seus textos, *A cada dia um novo começo* não se dirige exclusivamente às mulheres. O objetivo deste livro é contribuir para o pleno desenvolvimento de pelo menos uma pessoa, em algum lugar, um dia.

As meditações escritas por mim e as epígrafes escolhidas se complementam. Inúmeras vezes precisei ouvir "a mensagem certa" para vencer minha ansiedade e seguir adiante – necessitei de algo que pudesse me centrar para convidar o espírito interior a cuidar de mim. Espero que estes textos possam preencher qualquer vazio que exista entre você e seu espírito. A única intenção é facilitar a sua vida, dar esperança quando tudo parecer perdido. Por favor, aceite cada mensagem como uma mão estendida para ajudá-lo. Aprendi que nenhum fardo é grande demais quando temos com quem dividi-lo. E cada dia pode ser um novo começo.

1

O passado ficou para trás. O hoje oferece inúmeras possibilidades. A cada respiração me conscientizarei da força que tenho à minha disposição.

Aceitar o passado e as circunstâncias da vida que não podemos mudar traz enorme alívio e a paz de espírito que procuramos tão intensamente.

Devemos deixar o passado para trás. Cada dia é um novo começo. E cada dia nos dá a oportunidade de olhar para a frente com esperança, nos afastando dos vícios e de tudo aquilo que nos faz mal. Um poder maior me ajudou a encontrar um novo caminho para a minha vida. Esse poder está sempre conosco.

Quando tememos enfrentar uma nova situação ou quando algo dá errado em nossa vida, podemos lançar mão dessa força maior para nos ajudar a dizer o que deve ser dito e fazer o que deve ser feito. Nosso poder superior está tão próximo de nós quanto nossa respiração. Ter consciência de sua presença nos fortalece a cada momento.

"Nem sempre entendemos as cruzes que Deus nos manda carregar, os sacrifícios que exige de nós, mas aceitamos com fé e resignação a vontade divina, sem olhar para trás, e nos sentimos em paz."

– Anônimo

2

A criatividade é uma dádiva. É outra dimensão da presença espiritual que guia todos nós. Hoje vou receber essa presença.

A atividade criativa – seja pintar, escrever, cozinhar, jogar tênis ou mesmo observar pássaros – tem o mérito de nos mergulhar no aqui e agora e nos libertar. Ela nos absorve e alimenta nossa alma. Crescemos ao nos dedicarmos a essas atividades e aprendemos quem somos exatamente *ao não pensar* em quem somos.

Espiritualidade e criatividade são qualidades afins. Existe uma alegria dentro de nós que é uma linha de ligação com Deus. A atividade criativa libera essa alegria, transmitindo energia para os outros. Encontramos a nós mesmos e nosso poder superior ao deixar nossas inibições de lado enquanto criamos.

"Acredito que a verdadeira identidade está no processo de criação. Nós a encontramos, por incrível que pareça, quando nos perdemos. Toda pessoa pode se reencontrar 'perdendo-se' em alguma atividade criativa."

– Anne Morrow Lindbergh

3

Vou encontrar ouro no meio da areia.

Às vezes nos sentimos enterrados na areia, apertados, imobilizados, sem conseguir nos mexer. Nesses momentos precisamos lembrar que não estamos sós. A ajuda está por perto, basta pedir. Se invocarmos nosso poder superior, nossa fonte de força espiritual pode nos ajudar a acreditar que existe ouro escondido no meio de toda essa areia – e que a própria areia é útil.

Nada nem ninguém é bom o tempo todo. É preciso lembrar que, se esperamos apenas ouro, estamos distorcendo a vida e atrapalhando o nosso próprio caminho. Não queremos viver de mentiras e ilusões. Uma existência simples nos ajuda a apreciar o valor do ouro quando ele aparece.

"Como um velho garimpeiro, você deve se conformar em cavar muita areia e peneirá-la pacientemente até descobrir pequenas pepitas de ouro."

– Dorothy Bryant

4

Muitas oportunidades de escolha vão surgir hoje. Posso refletir e tomar as decisões que me levarão à plenitude.

Todos os dias temos muitas oportunidades de fazer escolhas responsáveis, tomar decisões sensatas. Essas escolhas e decisões vão moldar o que nós seremos. Nossa identidade é fortalecida toda vez que tomamos uma atitude pensada.

Cada opção que fazemos dá mais consistência à nossa identidade – as escolhas garantem nossa integridade. Nossa vida pode ser moldada por nós. Basta querermos.

"Quando descobri que queria ser artista, já tinha me transformado em uma. Eu não sabia que a vontade nem sempre leva à ação. Muitas mulheres foram criadas sem saber que poderiam moldar suas próprias vidas e, assim, o desejo de se tornar artista – sem a habilidade de realizar esse desejo – era, para algumas delas, apenas uma fantasia distante, como querer ir à Lua."

– JUDY CHICAGO

5

Hoje vou fazer uma pequena tarefa que vai contribuir para a realização de um grande objetivo.

Podemos sempre realizar os desejos do nosso coração. A maioria das pessoas, porém, avalia a tarefa como um todo, com toda a sua complexidade, e se sente incapaz de realizá-la. O segredo é compreender que o desafio pode ser dividido em muitas etapas. Se fizermos uma parte de cada vez, poderemos alcançar qualquer meta.

Conheço uma mulher que, num momento difícil da vida, quando estava se recuperando de um antigo vício, conseguiu escrever uma dissertação de 300 páginas, o último passo para obter seu título de doutorado. Sempre que lhe perguntavam como havia realizado essa façanha, ela respondia: "Escrevendo uma palavra de cada vez."

Esse é um ótimo conselho. Não importa quantos projetos não conseguimos realizar nem quantas metas não alcançamos no passado: cada um de nós pode concretizar qualquer desejo de seu coração – se fizer um pouco de cada vez, e não tudo ao mesmo tempo.

"Em vez de nos concentrarmos nos motivos por que não podemos fazer alguma coisa, seria sensato deixar de lado a hesitação e adotar uma atitude mais positiva. Dizer 'sim' significa que realmente queremos mudar a vida para melhor."

– Liane Cordes

6

Vou pensar antes de agir.
Ser responsável alegra o coração.

Um dos objetivos mais importantes da nossa vida é ter serenidade. E é impossível conseguir paz de espírito tentando controlar as pessoas, querendo que vivam como nós desejamos.

Nós não temos poder sobre os outros e saber disso nos tira um grande peso dos ombros. Controlar a nós mesmos já é uma grande tarefa. Aprender a ser responsável exige prática.

É difícil deixar de ser uma pessoa movida puramente pelas emoções, mas cada ação responsável dá coragem para outra – e mais outra. Nossa plenitude vem da soma de atitudes responsáveis. O que os outros fazem não é da nossa conta.

"Há tantas formas de viver e crescer quantas são as pessoas no mundo. Nossos caminhos são os únicos que devem nos interessar."

– Evelyn Mandel

7

Vou me dedicar à pessoa com quem eu estiver hoje. Ela será importante para mim e minha atenção terá valor para ela.

Todos querem ter importância para os outros. Com freqüência, no passado – e, às vezes, no presente –, fizemos de tudo para chamar a atenção dos outros. Talvez, em vez disso, devêssemos ter dado atenção. Hoje sei que devo dar para receber.

A sabedoria do tempo também diz que não há acaso. Há um motivo para que haja pessoas muito próximas, outras nem tanto e algumas que apenas passam por nossas vidas. Dar atenção ao outro é nossa missão.

"A maior dádiva que podemos dar uns aos outros é a mais completa atenção."

– Sue Atchley Ebaugh

8

Hoje vou aproveitar uma oportunidade para "fazer de conta" que posso enfrentar uma situação da qual costumava fugir.

"Fazer de conta" é uma ferramenta poderosa. Abre caminho para uma mudança de comportamento. Se normalmente nos sentimos acanhados no meio de muita gente e temos medo de conhecer pessoas novas, mas resolvemos agir com segurança e nos abrir para outras amizades, essa mudança radical de comportamento nos trará um enorme bem-estar.

Cada passo nessa direção nos aproxima da pessoa que estamos "fazendo de conta" que somos. Cada transformação positiva aumenta a nossa auto-estima. Compreender que, por meio dos nossos atos, estamos nos tornando o tipo de pessoa que admiramos nos dá força e nos encoraja a continuar mudando. Todo progresso facilita o seguinte.

"Quando uma pessoa faz uma mudança em sua vida, pode começar mudando a maneira como fala nisso, como age em relação a isso, sua atitude no que diz respeito à mudança."

– Jean Illsley Clarke

9

Resistir é o comportamento mais comum.
Não resistir significa crescimento e paz.
Hoje vou buscar a serenidade.

Preferimos sempre, por mais contraditório que pareça, a postura da resistência, pois não resistir implica uma renúncia absoluta do ego. Disfarçado de orgulho, o ego nos estimula a nos envolvermos em um conflito após o outro. "Será que eles não enxergam que estou com a razão?", resmungamos, e nossa resistência só aumenta.

Por outro lado, deixar as coisas acontecerem, seguir o fluxo da vida e abrir mão do ego libera uma energia positiva que resolve os problemas – tirando as vibrações negativas do caminho. A paz fica conosco. Vamos encontrar serenidade toda vez que nos rendermos.

"Os chineses dizem que a água é o elemento mais poderoso porque não oferece qualquer resistência. Pode furar uma rocha e arrastar tudo de roldão."

– Florence Scovel Shinn

10

Darei boas risadas. Elas são o melhor remédio.

Em seu livro *Anatomia de uma doença*, Norman Cousins conta como escapou de uma doença grave, que quase o levou à morte, com o riso. As risadas nos recarregam, ativando todas as nossas células. Ganhamos vida e essa vitalidade restaura o corpo e as emoções.

Muitos de nós precisam ser curados tanto física quanto emocionalmente. Talvez tenhamos perdido boas oportunidades de rir porque assumimos uma postura negativa. Infelizmente, a maioria das pessoas se acostuma com o negativismo. Mas nunca é tarde para mudar nossa vida, para achar graça em vez de reclamar. Escolher a alegria e rir dos próprios erros diminui a dor, seja ela emocional ou física.

O riso leva ao bem-estar. Ele muda nossos hábitos e, melhor ainda, é contagioso. Fazer com que os outros riam pode ajudar a curá-los também.

Todos nós desejamos saúde e felicidade para nós e para os outros, e tudo o que temos a fazer para obtê-las é criá-las. O melhor remédio para qualquer dor que nos atormenta é uma boa risada.

"Seu corpo e sua mente passam por uma completa reavaliação quando você ri e se diverte."

– Catherine Ponder

11

Minha lição é entender a mim mesmo e os outros.
A felicidade é o prêmio que ganho cada dia
em que me torno quem eu quero ser.

Está tudo bem. No meio do tumulto, precisamos lembrar que está tudo bem; no meio da dor, está tudo bem. O esforço em meio aos conflitos e o sofrimento que acompanha as lições de autoconsciência nos preparam para que possamos nos tornar tudo o que devemos ser.

Cada um de nós tem um dom especial a oferecer. Entendemos esses talentos e somos capazes de compartilhá-los à medida que crescemos com a dor do autoconhecimento. Está tudo bem. Lá no fundo, a felicidade provoca pequenas ondas que acabam chegando à tona em nossa vida.

"Compreendendo a mim mesma, quero compreender os outros. Quero ser tudo o que posso ser. Isso parece árduo e sério. Mas agora que consegui lidar com as dificuldades, não é mais. Sinto-me feliz – no âmago do meu ser. Está tudo bem."

– KATHERINE MANSFIELD

12

Hoje vou ser livre. Não permitirei que ninguém controle meus atos. Deixarei que Deus conceda a única aprovação que conta. Alinhar meu desejo ao de Deus vai garantir isso.

É muito normal e saudável querer que os outros aprovem nossos esforços, aparência, metas e comportamento. Não há nada de errado nisso. Errado é precisar da aprovação dos outros para viver nossas vidas.

Quando éramos crianças, fomos ensinados a obedecer e agradar às pessoas. Confundimos amor com aprovação e começamos a seguir os passos alheios. Mas logo ficamos em descompasso com nós mesmos, negligenciamos nossas necessidades e viramos fantoches.

Abrir mão de nossa vontade em favor do desejo dos outros enfraquece o espírito. Ter liberdade significa escolher como se comportar. Significa agir mais do que reagir. E também se entregar totalmente à aventura que é viver, desfrutar cada instante por completo, procedendo de forma verdadeira, espontânea e sincera.

Cada um de nós tem um papel especial a desempenhar no palco da vida. E, para garantir uma bela atuação, precisamos confiar no nosso poder superior – e não na aprovação dos outros. Quando buscamos orientação interior, recebemos toda a aprovação de que precisamos.

"Numa cultura em que aprovação ou desaprovação se tornaram o fiel da balança do esforço e do status, além de, muitas vezes, o substituto do amor, nossas liberdades pessoais se perderam."

– Viola Spolin

13

Vou lembrar que tenho o poder de escolher como agir em relação ao que me for oferecido.

A vida é cheia de perigos, riscos e desafios. Temos duas opções: enfrentá-los com medo ou com o espírito de boas-vindas. Escolher a covardia e dizer "Não vou me arriscar, pois posso perder" só vai nos impedir de um dia sairmos vitoriosos. Se aceitamos o perigo, o risco ou o desafio, admitimos que a vida é feita de perdas e ganhos, de dores e alegrias.

A vida traz perigos, assim como prêmios. Às vezes, podemos nos sentir presos num círculo de medo. Mas, se examinarmos melhor a situação, talvez vejamos que nossa visão não está sendo equilibrada. Por medo de perder, deixamos de aproveitar muitas oportunidades de ser felizes.

"Tudo é tão perigoso que nada é realmente assustador."

– Gertrude Stein

14

Ficarei do lado de alguém que precise da minha ajuda para ser ele mesmo.

Deixamos de realizar muitos projetos, fazer muitos cursos, conversar muitas coisas por insegurança. A dor e a constante busca de aceitação e amor nos olhos e no comportamento dos outros ainda nos assombram. Mas tudo isso é passado. Estamos ousando ser nós mesmos, um pouco a cada dia.

De vez em quando a autoconfiança ainda falha e precisamos de uma confirmação de que somos maravilhosos. Felizmente, bons amigos sempre podem contar uns com os outros em busca de estímulo e coragem para enfrentar um novo dia. Esse apoio mútuo e a certeza de que entendemos nossos medos nos dão a força necessária para seguir em frente.

"Ela é insegura, precisa ser admirada o tempo todo. Vive do seu reflexo nos olhos dos outros. Não ousa ser ela mesma."

– Anaïs Nin

15

O dia de hoje vai me trazer despedidas e chegadas. Vou encarar as duas situações com alegria.

A vida é um processo de se desapegar, deixar para trás o que não podemos controlar, abrir mão de pessoas – e observá-las saírem de nossas vidas –, tempos, lugares e vivências. Isso pode nos entristecer, mas também nos dá oportunidades de crescimento inimagináveis. Essas experiências nos impulsionam rumo a uma compreensão mais profunda de nós mesmos e dos outros.

Em geral, as vivências que causam dor e tristeza nos ensinam as melhores lições que a vida pode nos oferecer. Passar por sofrimentos e sobreviver a algo que nos atinge emocionalmente nos leva a alcançar patamares cada vez mais elevados. A vida se enriquece com a dor. E, a partir daí, nossas experiências com todas as outras pessoas se tornam mais profundas. Em vez de lastimar que algo acabou ou que uma pessoa amada foi embora, podemos apreciar o que ganhamos e reconhecer que a vida está mais completa por isso.

"A dor de deixar aqueles que você aprende a amar é o único prelúdio para entender a si próprio e os outros."

– Shirley MacLaine

16

Meu presente para mim mesmo é passar um tempo sozinho. Mereço essa dádiva hoje e todos os dias.

Precisamos interagir com os outros. Temos muitos dons a oferecer àqueles que cruzam o nosso caminho e também precisamos dos muitos dons que eles têm a nos oferecer. Mas, se negligenciamos os momentos especiais e os espaços necessários para alimentar nossa alma, ficamos com pouco para compartilhar, para dar aos outros.

Por isso, também precisamos de algum tempo longe de todo mundo, das atividades e das coisas – para conversar com Deus, buscar orientação, encontrar segurança no sentido mais amplo. Isso vai nos preparar para oferecer nossas dádivas, além de nos tornar receptivos aos dons das pessoas.

É verdade que encontramos a mensagem de Deus nos outros. Mas um tempo a sós com Ele diminui as barreiras que costumam nos impedir de compreender outras mensagens divinas trazidas pelos amigos e até pelos inimigos que passam por nossas vidas.

"Atividades, pessoas e coisas demais. Atividades preciosas, coisas valiosas e pessoas interessantes demais. Pois não são apenas as coisas simples que desorganizam a nossa vida, mas as importantes também."

– Anne Morrow Lindbergh

17

Viver é muito mais do que apenas estar vivo.
Posso escolher mergulhar de cabeça.
A sabedoria me aguarda nas profundezas.

Viver é reagir, com toda a nossa plenitude, às alegrias e às dificuldades. Significa não fugir das experiências ou situações que tememos enfrentar. Só passando por elas saberemos quem realmente somos e entenderemos a força que temos. Isso é sabedoria.

Quando vivemos com medo, colhemos apenas uma parte das dádivas da vida. É como ver um filme colorido em preto-e-branco. A vida é repleta de nuances, mas precisamos de coragem para deixar as cores aparecerem, senti-las, absorvê-las, ser modificados por elas. Lá no fundo encontramos o nosso verdadeiro eu. As complexidades da vida nos dão sabedoria. E, ao nos tornarmos mais sábios, aprendemos a evitar os perigos em nosso caminho.

"Não se pode adquirir sabedoria sem viver."

– Dorothy McCall

18

Vou cuidar da criança que tenho dentro de mim.
Não vou deixá-la enfrentar sozinha
as experiências que o dia pode trazer.

A criança que existe dentro de nós é frágil, mas muito ativa, e interpreta nossas experiências antes mesmo de termos consciência delas. É essa criança que pode ter medo de novos lugares, pessoas desconhecidas, situações estranhas. Ela precisa de atenção, um cuidado que talvez não tenha recebido no passado. Podemos segurar a mão dela, persuadi-la, garantir que não será abandonada. Ela não precisa se intimidar com lugares novos, pessoas que não conhece ou situações estranhas.

É incrível a força que adquirimos quando nos damos carinho, quando tomamos conhecimento da criança assustada que temos dentro de nós e a abraçamos, proporcionando-lhe segurança. Não enfrentamos nada sozinhos. Juntos, enfrentamos tudo.

"Vejo o espelho com os olhos da criança que fui."

– JUDY COLLINS

19

Meu comportamento será responsável pelo que vai acontecer hoje. Se erguer a cabeça e sentir amor, terei um ótimo dia.

Existe uma magia em fazer de conta que somos como queremos ser, mesmo que ainda não tenhamos chegado lá. O comportamento é um aliado poderoso para abrir caminhos, e nosso estado de espírito costuma acompanhá-lo, nos deixando mais perto de nossos objetivos.

Há dias em que não estamos muito afetuosos com a família, os amigos ou os colegas de trabalho. Na verdade, talvez estejamos à espera de que eles demonstrem primeiro que nos amam. Mas, ao escolher dar amor incondicional e pensar nas necessidades do outro, receberemos dez vezes mais amor. E amar as pessoas elevará nosso espírito. Vamos sentir amor por nós mesmos e por todas as pessoas próximas.

O comportamento que cultivamos – seja de amor ou egoísmo, inferioridade ou superioridade – vai determinar como os fatos da vida nos afetam. O princípio é bem simples. Se encararmos a vida com amor, com um sorriso, encontraremos amor e algum motivo para sorrir.

"Você tem que se levantar todo dia com um sorriso nos lábios.
E mostrar ao mundo todo o amor do seu coração.
Então as pessoas vão tratá-lo melhor.
E você vai descobrir, com certeza,
Que é tão belo quanto se sente."

– Carole King

20

Posso fortalecer minhas habilidades primeiro conhecendo-as e depois aperfeiçoando-as. Hoje vou me concentrar numa delas.

Os campeões não nascem prontos. Eles se fazem. O caminho para o sucesso é o autoconhecimento e o esforço. Todos nós temos limitações e às vezes é mais fácil enxergar nossos defeitos do que nossas qualidades.

Ter consciência de si mesmo é reconhecer tanto os pontos fracos quanto os fortes. Ser campeão – seja como atleta, dona-de-casa, professor, secretária ou advogado – é maximizar nossas habilidades e minimizar nossas dificuldades, aceitando que ambas existem.

Há oportunidades diárias para nos conhecermos, para ajudarmos outras pessoas a se conhecerem e para fortalecermos nossos pontos positivos. A vida é uma espécie de campeonato em que nos sentimos bem quando diminuímos nossos defeitos e aumentamos nossas qualidades.

"Acho que, para vencer, o mais importante é ter consciência de si mesmo."

– Billie Jean King

21

Vou celebrar o fato de ter assumido a responsabilidade sobre a minha própria vida. Eu escolhi me recuperar e parei de dizer "Não posso fazer nada".

Sabemos o que é agir de maneira irresponsável ou passiva. No passado, fugir da responsabilidade nos livrava da culpa. Mas também impedia que nos sentíssemos valiosos, aproveitássemos nosso potencial e nos alegrássemos ao atingir uma meta.

Nosso medo da derrota nos ajudou a ser irresponsáveis. Ainda podemos temer o fracasso, mas descobrimos um remédio: devemos concentrar nossa vida em nosso poder superior. Ele nos indicará o caminho a ser seguido. E nossos amigos e companheiros de viagem vão nos transmitir mensagens que facilitarão nossa caminhada.

"'Não posso fazer nada' é o que costumamos dizer quando não queremos nos esforçar."

– Eva Lathbury

22

Todos os fatos, todas as experiências estão ligados. A trilha que percorro, sozinho e com outras pessoas, está me proporcionando dias melhores. Vou confiar no meu caminho. Ele é bom para mim.

A passagem do tempo – somada às mensagens que extraímos de nossas conversas com os outros – pode nos trazer as respostas de que precisamos para sair de situações difíceis. A vida é cheia de altos e baixos, montanhas e vales, tempestades e calmarias. Só que, em geral, não percebemos que são as dificuldades que possibilitam os tempos mais agradáveis.

Os conflitos são lições especiais. Podemos aprender a conviver com eles, seguir com eles, confiar no valor que têm para nosso crescimento e nossa transformação. É bom ter passado por situações difíceis e saber que podemos contar com o apoio dos outros e daquele poder maior que, quando permitimos, nos aponta o caminho da solução.

A vida sempre apresentará dificuldades – não poderia ser diferente. Mas as lições que aprendemos nos levam a planos cada vez mais elevados de consciência. Podemos sentir a alegria latente no conflito. Devemos ajudar uns aos outros a lembrar que a doçura de um instante está ligada à dor de um momento anterior, já esquecido.

"Felizmente, a psicanálise não é a única forma de resolver nossos conflitos internos. A vida continua sendo uma excelente terapeuta."

– Karen Horney

23

Um dos maiores dons da minha recuperação é dar e receber força.

Cada um de nós é guiado enquanto guia os outros pela vida. Somos interdependentes. Alguém sempre está aprendendo conosco e vice-versa. Com freqüência, não sabemos o que estamos dando quando damos. E raramente percebemos o valor do que estamos recebendo na hora em que recebemos.

Resistir à ajuda de alguém pode ser nossa reação natural. Mas o tempo se encarrega de demonstrar o valor dessa ajuda. Podemos procurar aqueles que nos confortam. Lá estão eles, oferecendo força e esperança suficientes para vencermos qualquer dificuldade.

Precisamos tanto dos períodos duros quanto dos ombros macios dos amigos. Ambos ajudam a formar a trama que a nossa vida está tecendo. Os tempos difíceis nos incitam a rezar, a buscar consolo nos outros. E nossa dor dá aos outros a oportunidade de cuidar de nossas feridas. Todos nós somos curandeiros oferecendo força. E todos nós precisamos de cura.

"Vocês ficaram ao meu lado quando precisei, deram-me força e me orientaram. Ofereço a todos vocês o meu amor e tudo o que sou."

– Deidra Sarault

24

Minha maior dádiva é a atenção plena que dedico aos outros. Se quero recebê-la, tenho que dá-la.

Nosso ser, o eu que apresentamos ao mundo, é negado toda vez que falamos e não somos ouvidos. Por isso, o maior presente que podemos dar aos outros é a atenção plena – que significa esquecer tudo o mais ao conversar com alguém. Só agindo assim poderemos receber a mesma dádiva, pois não devemos esperar dos outros aquilo que não estamos dispostos ou aptos a dar.

Ser ouvido e ouvir o que as pessoas têm a nos dizer é muito mais do que simplesmente escutar. É deixar que as palavras nos toquem profundamente. Ao compartilhar o que somos com alguém, não desejamos ser julgados ou nos sentir envergonhados. Queremos saber que fomos ouvidos com muita atenção. Do mesmo modo, quando temos a chance de ouvir o outro, devemos prestar atenção em cada palavra, na mensagem que pode ampliar nossos limites e nos aproximar do nosso eu interior.

A beleza de dar e receber atenção é que nos ajuda a ouvir a nós mesmos. Sabemos melhor quem somos quando escutamos os outros. Toda conversa nos dá uma oportunidade de ser real, de ajudar outra pessoa a ser real.

"O que quase todos nós queremos é ser ouvidos, nos comunicar."

– Dory Previn

25

Vou fracassar em alguma coisa que tentar fazer hoje. Mas posso rir do meu erro. Meu riso vai abrir um caminho para que eu tente de novo.

O controle que o perfeccionismo exerce sobre nossas vidas impede nosso crescimento e nosso bem-estar nos planos emocional, espiritual e até físico.

Em geral, aprendemos mais com os fracassos do que com o sucesso. As derrotas nos ensinam a ter humildade e buscar ajuda e orientação. Também passamos a aceitar que os outros erram. Erramos porque somos humanos.

Quando deixamos de temer o fracasso, estamos livres para tentar grandes feitos. Ousamos aprender mais e a existência se torna mais plena – não só a nossa vida, mas a de todos que conhecemos.

Rir de nossos erros ajuda a tentar de novo. O riso nos mantém jovens e as pessoas que encaram a vida com alegria encontram mais prazer em cada dia.

"Quando deixamos de levar nossos fracassos a sério, paramos de temê-los. É muito importante aprender a rir de nós mesmos."

– Katherine Mansfield

26

Logo terei a oportunidade de agir de acordo com meu desejo. Vou aproveitá-la.

Quando não sabemos quem somos, é fácil fazer concessões. Quando não sabemos o que achamos de determinado assunto, é fácil ser influenciado por uma opinião forte. Talvez os valores não estejam claros em nossa mente, ou podemos não estar cientes deles. Então ficamos vulneráveis e deixamos que os outros nos convençam. Mas podemos mudar isso buscando nos conhecer melhor.

Um dos maiores benefícios da recuperação de algum vício é descobrir que podemos tomar decisões que mostram quem somos, nosso eu interior. Todos nós conhecemos aquela pontada de vergonha no peito quando seguimos a opinião dos outros sem questionar, quando desistimos de lutar por algo importante para nós. E depois sofremos as conseqüências, perdemos um pouco de nós mesmos. Com o passar dos anos, vários pedaços nossos vão ficando para trás. Mas sempre temos escolha.

"Não faça concessões. Você é tudo o que você tem."

– JANIS JOPLIN

27

Compreendendo meu valor, vou encontrar a felicidade. Basta compartilhar com os outros tudo o que sou, de maneira confiante e paciente.

É compreensível desejar se sentir bem o tempo todo. A felicidade é algo que todos nós merecemos. No entanto, precisamos dar alguns passos preparatórios – que nem sempre nos trarão alegria – até chegarmos a um estado de felicidade permanente.

A intensidade da nossa dor em determinados momentos pode nos fazer buscar satisfação imediata. E a cada tentativa de ficar alegre rapidamente vemos que, como em muitas tentativas anteriores, essa alegria dura pouco.

A felicidade duradoura não é conseqüência de gratificação imediata. Não precisamos *conquistar* o direito à felicidade, mas temos de descobrir onde ela está. Vamos encontrá-la quando ficarmos em silêncio e ouvirmos nosso eu interior, quando pensarmos menos em nossos problemas e mais nas necessidades dos outros.

Precisamos, em muitos casos, redefinir o que é felicidade. Compreender nosso valor e saber que somos importantes para nosso círculo de amizades vai nos trazer felicidade e nos amparar. Ser grato aos amigos, à saúde e aos novos hábitos também nos fortalece. Tocar com sinceridade a alma de alguém pode dar vazão à fonte da felicidade dentro de cada um de nós.

"Acho que adiar um prazer é sinal de maturidade."

– Peggy Cahn

28

Posso confiar em meus sonhos e desejos. São meus, só meus e especiais para mim. É possível realizá-los. Ter fé e atitude positiva vai facilitar meus esforços.

De quantos sonhos desistimos? Quantos projetos começamos e não terminamos? Quantas vezes dissemos a nós mesmos que "desta vez vai ser diferente", mas não nos empenhamos em cumprir essa promessa? Negativismo traz mais negativismo. Por sorte, o inverso também é verdadeiro. A atitude positiva pode nos levar longe e tornar qualquer coisa possível.

Nascemos para viver bem. Mas precisamos buscar isso, estar abertos às oportunidades que a vida nos dá e dispostos a nos esforçar. Nossos sonhos são convites para irmos além, lutar por uma nova meta. E ter fé na nossa capacidade de realizá-los facilitará os passos necessários nessa direção.

Todos nós fomos abençoados com sonhos. Eles são dádivas que nos permitem aumentar nossas capacidades.

"Já vimos muito derrotismo, muito pessimismo, muito negativismo. A resposta é simples: se realmente desejamos alguma coisa, podemos consegui-la. Pode exigir paciência, trabalho duro, bastante tempo e esforço, mas pode ser alcançado. A fé é um requisito fundamental para qualquer iniciativa."

– Margo Jones

29

Dar atenção às pessoas que cruzam meu caminho fará com que eu receba exatamente aquilo de que preciso. Meu guia interior as chamou. Estou atento, espero soluções e festejo a maravilha de tudo isso.

Preocupar-se apenas com você pode ser o veneno da vida. Pois só oferece uma visão limitada dos problemas. Corta qualquer orientação do poder superior, que pode, por exemplo, ser oferecida por um amigo. Bloqueia quaisquer verdades que tentem chamar nossa atenção.

Seja qual for a nossa dor, ela é amenizada quando desviamos a atenção para a tristeza ou a alegria dos outros, por mais paradoxal que isso possa parecer. Quando abrimos nossas mentes para o que as pessoas têm a dizer, logo surgem soluções para os problemas. Precisamos dessas mensagens, pois tudo o que é dito com amor tem um significado para nossas vidas.

Devemos considerar que toda conversa que temos é um diálogo com o Criador. O que precisamos saber para nosso crescimento pessoal será revelado nessas interações com os outros. Mas não podemos ouvir as idéias dos outros enquanto não nos desapegarmos de nossos próprios pensamentos.

"É estranho que você possa ficar tão anestesiado com sua dor ou com seu problema que não perceba o inferno de alguém que vive ao seu lado."

– Lady Bird Johnson

30

As verdades que recebo hoje vão guiar meus passos. Seguirei em paz.

Hoje compreendemos idéias que não conseguíamos entender ontem. Atualmente temos consciência de detalhes do passado que na época preferimos não enxergar. Nosso horizonte está se ampliando e, aos poucos, vamos nos preparando para verdades que antes não conseguíamos assimilar.

Quando o aluno está pronto para aprender, o professor aparece. E o professor chega com verdades que precisamos incluir no nosso banco de conhecimento sempre em expansão. As verdades que nos são reveladas hoje, ou em qualquer outro dia, nem sempre nos alegram imediatamente. Podemos ficar sabendo que um emprego não serve mais para nós. Ou que um relacionamento terminou. E as mudanças geram inquietação. Mas, no grande panorama de nossa vida, as transformações provocadas por essas verdades são boas e, com o tempo, vão colaborar para a nossa felicidade.

Vamos festejar as verdades como elas chegam e deixar as conseqüências nas mãos de Deus. Estamos viajando numa estrada muito especial. O caminho é cheio de pedras, as curvas limitam nossa visão, mas receberemos toda a orientação necessária.

"Não existem novas verdades, apenas verdades que ainda não foram reconhecidas por aqueles que tomaram conhecimento delas sem perceber."

– Mary McCarthy

31

Agora é a minha vez. Posso moldar meu futuro. Vou deixar que cada dia, cada experiência me levem até o próximo passo.

A maioria de nós aprendeu, desde criança, a colocar as necessidades do outro em primeiro lugar. Raramente fomos incentivados a seguir nosso próprio caminho e, depois de passar anos em segundo plano, acabamos acreditando que nossas aspirações pouco valem.

Agora, para muitos de nós, o futuro parece um muro. Está na hora de criar um plano para nossas vidas, mas como saber para onde ir? E como chegar lá? Vivendo um dia de cada vez, passo a passo.

Decidimos fazer algo para transformar as circunstâncias em que nos encontrávamos; caso contrário, nem estaríamos lendo estas palavras. Podemos parar um minuto e refletir sobre as mudanças realizadas até agora. Já estamos no nosso caminho. Demos alguns passos necessários. Que ótima essa aventura que iniciamos! E receberemos apoio ao longo de toda a viagem.

Devemos confiar em nossos anseios mais íntimos, aqueles que podemos ter reprimido no passado. Vamos realizar nossos maiores desejos, se buscarmos orientação.

"Não ouvimos trombetas soar quando tomamos as decisões mais importantes de nossa vida. O destino é silencioso."

– Agnes DeMille

32

Serei grato por tudo o que sou, por tudo o que tenho. E vou lembrar que o que dou hoje aos amigos só eu posso dar.

Nossos sonhos nos convidam a atingir novas alturas. Só precisamos de coragem para atender a seu chamado, dando os passos necessários para realizá-los. Tudo o que temos a fazer hoje é confiar que o caminho nos será mostrado e aguardar com paciência para tomar a atitude certa na hora certa.

Quando são para o nosso bem e o bem dos outros, nossos sonhos são convites de Deus para abrirmos as asas e tentarmos vôos mais altos. Nossos anseios fazem parte do destino que nos foi designado, não são uma coincidência. Temos dons únicos e só nós podemos dar nossa colaboração. Nossos sonhos refletem as contribuições que somos chamados a dar na vida.

As oportunidades de realização são variadas e nem sempre as vemos como benéficas. Mais uma vez precisamos buscar Deus, ter paciência e confiar que estamos sendo chamados para oferecer algo especial aos que estão ao nosso redor. Todos, sem exceção, temos um plano especialmente designado para nós. E cada um tem capacidades específicas, talentos particulares. Nossa busca está abrindo caminho para que possamos desenvolver esses talentos.

"Em nossos sonhos e anseios encontramos oportunidades."

– Sue Atchley Ebaugh

33

Hoje receberei com alegria o que você tem para me dar.

A vida é uma série de pagamentos. O dito popular "Tudo o que vai, volta" governa a vida de cada um de nós. As retribuições dos outros estão sempre chegando. Ao recebermos, o "pagamento" pode não ser o que gostaríamos ou o que escolheríamos para nós. Com o passar do tempo, percebemos que nossos "pagamentos" são para o nosso bem.

E podemos – na verdade, precisamos – compartilhar o bem com outra pessoa. Se oferecermos a alegria que recebemos, a sabedoria que alcançamos, a amizade que conquistamos, estaremos prontos para receber mais.

"Não se pode pagar com gratidão; deve-se pagar apenas 'em espécie' em algum outro momento da vida."

– Anne Morrow Lindbergh

34

Respirar fundo convida a força interior a agir.
Vou sentir a alegria do poder de Deus.
E vou conhecer a alegria de crescer e ter paz.

Como realizar algo que parece impossível? Inscrever-se num curso, pedir demissão, sair de uma relação destrutiva, pedir ajuda – nada disso pode ser feito sozinho ou com facilidade. Mas podemos enfrentar tudo, se confiarmos no nosso poder superior.

Com a ajuda de Deus, aquilo que parecia impossível passa a ter uma dimensão com a qual podemos lidar. E ainda reduz o poder que nossos medos dão às mudanças. Pois quanto mais tememos uma transformação, mais difícil ela se torna. E nosso medo cresce na proporção de nossa obsessão.

Que sorte termos Deus aguardando nosso pedido de força e de parceria. Temos um companheiro do nosso lado por todo o caminho, o dia inteiro, basta que o reconheçamos. Podemos enfrentar e superar qualquer coisa. E o benefício adicional é que passamos a confiar nessa parceria. Logo percebemos que tudo pode ser solucionado. Todas as experiências podem ser encaradas de frente. Evitar não é mais nossa técnica de sobrevivência.

"Você deve fazer as coisas que acha que não pode fazer."

– Eleanor Roosevelt

35

Não preciso voltar ao passado nunca. Sou poupado de fazer isso. Meu destino está no futuro. E posso ter certeza de que o que está por vir vai me trazer tudo o que desejo. E mais.

O ontem se foi, mas as experiências vividas se refletirão nas de hoje. Aprendemos tanto com as boas quanto com as más situações. Da mesma forma, a jornada que percorremos hoje vai influenciar o rumo que tomaremos amanhã. Não podemos refazer o que passou, mas podemos incorporar tudo o que a vida está nos oferecendo a partir de agora.

Com cada experiência, estamos caminhando para um grande entendimento dos mistérios da vida. À medida que o dia de hoje se desenrola, podemos ser influenciados por novas aventuras. O que vivemos é só nosso e vai contribuir para a realização de nosso destino especial. Vamos em frente, sempre em frente. As portas que ficaram para trás estão fechadas para sempre.

"Jamais poderemos voltar, isso é garantido."

– Daphne DuMaurier

36

Hoje ficarei frente a frente com muitas pessoas que não conhecem o amor. Vou dar amor com tolerância incondicional. Será uma dádiva – para mim e para os outros.

Enfrentar situações que gostaríamos de mudar e aceitar pessoas que gostaríamos que fossem diferentes são atitudes que exigem crescimento, paciência e tolerância. Sempre achamos que seríamos mais felizes "se ele mudasse", ou "se eu tivesse um emprego melhor", ou "se as crianças sossegassem". Ainda assim, temos dentro de nós a semente da felicidade. Basta sermos tolerantes com tudo para fazer brotar essa semente.

Intolerância, impaciência e depressão – na verdade, qualquer atitude negativa – tornam-se hábitos. Precisamos lutar contra os costumes que criamos. Os maus hábitos devem ser substituídos por novos e bons hábitos. Podemos ter um comportamento diferente, que nos agrade, como, por exemplo, sorrir para estranhos numa fila de supermercado. Podemos repetir isso em outros lugares, até que se torne parte do nosso dia-a-dia.

A tolerância em relação aos outros abre muitas portas, para eles e para nós. Alimenta a alma – a deles e a nossa. Traz felicidade. A cada dia estamos aprendendo um pouco mais sobre o amor, sobre dar e receber.

"A tolerância é a maior dádiva da mente."

– Helen Keller

37

Vou confiar no "empurrão interior" que receber hoje e aproveitar as oportunidades de fazer o bem.

Nossos desejos podem ser simples ou complexos. Podem ainda estar confusos em nossa cabeça, mas, se tivermos paciência, a clareza virá. Deus tem uma forma de nos dar um "empurrão interior" para nos indicar determinada direção. Nossa responsabilidade é seguir o "empurrão" e confiar plenamente no que estamos fazendo.

Com freqüência, lamentamos algum erro do passado. O que está feito, está feito. Aprendemos importantes lições com nossas falhas. Todo dia é um novo começo. E podemos terminar cada dia sem arrependimentos se ouvirmos nossa consciência, se dermos ouvidos ao "empurrão interior".

Teremos muitas oportunidades hoje – de ser bom ou mau, de tomar decisões que, no fim do dia, poderão gerar felicidade ou arrependimento. Muitas escolhas vão nos deixar mais perto da satisfação, da alegria que buscamos como seres humanos. Não precisamos temer chegar ao fim da nossa existência desejando ter feito mais ou melhor. Viver cada dia com consciência, esperando pelo "empurrão" e seguindo a direção apontada, vai garantir uma vida bem vivida.

"Quero poder sempre dançar, ser uma pessoa boa e não má e, quando tudo terminar, não ficar com a sensação de que poderia ter feito melhor."

– Ruth St. Denis

38

Posso ajudar alguém a encarar a angústia.
Isso nos aproxima e abre caminho para
o riso que logo virá.

Sem dúvida, conhecemos melhor a angústia do que o encanto de uma risada. Ficamos inquietos com nossos erros e perdas, e também com as oportunidades de sucesso que surgem em nossas vidas.

A angústia vem do medo, e desejamos muito evitá-la. Entretanto, ela nos faz amadurecer e nos enriquece, mesmo quando momentaneamente nos enfraquece. É uma grande contribuição para o resultado e o conteúdo de nossa vida. A angústia que sentimos nos prepara para ajudar os outros a enfrentar seu tormento pessoal.

Nosso riso também deve ser sentido e compartilhado. E o riso traz mais riso. O riso dá uma nova perspectiva para a nossa inquietude. A vida fica mais rica e completa com seus altos e baixos: riso e dor, juntos.

Se sentirmos angústia, devemos nos lembrar de que ela está tornando nosso espírito pleno. Junto com o riso, a ansiedade cura a alma. Ela diminui e ao mesmo tempo aumenta nosso fardo. E nos prepara para melhor receber outras dádivas da vida.

"A beleza do mundo tem dois lados, um do riso e outro da angústia, dividindo o coração ao meio."

– Virginia Woolf

39

Tomar posse da minha vida vai me dar esperança e me preparar para qualquer coisa. Vou conhecer uma nova alegria.

A busca continua. Todo mundo, em toda parte, um dia pergunta: "Quem sou eu?" Os fatos de nosso passado podem nos perseguir. Mas eles contribuíram para a plenitude que sentimos hoje. Devemos ser gratos pela influência que tiveram ao nos tornar a pessoa que somos hoje.

Assumir quem somos, com o que temos de bom e de ruim, é um ato curativo. É saber que somos responsáveis por onde estávamos e para onde vamos. Ao longo da vida, as escolhas são muitas e variadas. Não participar ativamente também é uma opção. A passividade já foi uma alternativa para muitos de nós no passado. Mas, agora, estamos escolhendo a ação, que ajuda a nos curar e nos torna mais plenos.

"Basta reivindicar os fatos de sua vida para fazer com que você seja seu."

– Florida Scott-Maxwell

40

Não vou esperar ser amado, vou amar outra pessoa plenamente. Não vou duvidar de que também sou amado, vou sentir. E encontrarei o amor incondicional.

Com que facilidade duvidamos de nós mesmos, temendo não ser capazes ou não merecer ser amados – ou talvez as duas coisas. Costumamos olhar no rosto de amigos, namorados ou companheiros em busca da afirmação, da garantia de seu amor.

A alienação de nós mesmos, dos outros e do espírito de Deus que está em toda parte é a causa da nossa insatisfação. É o nosso descontentamento. Quando as almas se tocam, nasce o amor – por si mesmo e pelo outro. Nossa solidão surge quando erguemos barreiras que nos separam dos amigos e da família. Só nós podemos escalar essas barreiras ou contorná-las para dar e receber amor.

Temos ferramentas para amar, mas precisamos ousar pegá-las. O processo de aproximação começa por ouvir os outros e compartilhar nossos sentimentos mais profundos. Arriscar oferecer amor antes de receber nos libertará dessa busca contínua por amor no rosto dos outros.

"Estar só e se sentir vulnerável. Como temas separados, essas duas partes se unem em mim e espalham as sementes do desejo de um amor incondicional."

– Mary Casey

41

Se o dia parece triste, vou aceitá-lo como uma mão estendida para me puxar para a frente, me fazer avançar e garantir meu lugar na família espiritual.

As fases difíceis de nossa vida um dia acabam. E, por maior que seja nosso problema, vamos sobreviver. Esquecemos que as profundezas nos ensinam a apreciar melhor as alturas.

A tristeza evidencia a alegria. A depressão acentua o riso. Não conheceríamos a alegria e o riso se não fossem as tristezas. Com elas aprendemos a ter paciência, esperando pela sabedoria que iluminará nosso caminho. Também aprendemos a ouvir a orientação que nos faz avançar.

Devemos refletir sobre os sofrimentos por que passamos nos últimos tempos. Eles nos tornaram mais sensatos, ajudaram a nos fortalecer. Essas experiências nos mudaram, nos aproximando mais da pessoa plena e feliz que desejamos ser.

As dificuldades costumam preceder a iluminação. Fazem com que nos voltemos para dentro de nós, talvez em busca de nossa conexão com Deus – que, na verdade, está em nossos corações. O paradoxo é que essas fases sofridas fortalecem nossa unidade com Deus.

"A pior noite e o dia mais longo têm de acabar, mais cedo ou mais tarde."

– Baronesa Orczy

42

As tramas que estou tecendo com minha vida são complexas, cheias de nós e detalhes intrincados. Preciso ir devagar, dando um ponto de cada vez. Um dia olharei para trás e verei que cada progresso se encaixou perfeitamente no bordado completo.

Buscamos o progresso, não a perfeição. Entretanto, às vezes ficamos confusos entre os dois. Querer ser perfeito em alguma atividade que ainda não dominamos é uma aflição bem comum. À medida que admitimos nossa condição humana, aceitamos os erros como parte do processo normal de viver e aprender – um processo que chamamos de progresso.

Nossa necessidade de fazer tudo certo diminui com o tempo. E podemos nos ajudar a abandonar velhos hábitos. A idéia de que há uma forte associação entre perfeição e valor pessoal é totalmente errada, só existe em nossas mentes. E esse equívoco tem provocado uma grave injustiça em nossas vidas.

Romper com velhos padrões de pensamento exige compromisso. Primeiro, precisamos acreditar que temos valor simplesmente pelo que somos. Só há uma pessoa como nós e temos uma dádiva especial a oferecer ao mundo. Nosso ser é perfeito do jeito que é. Dizer isso, várias vezes, é o começo. Mas, como em qualquer outro caso, o progresso aqui também será lento. Tudo o que temos a fazer é trabalhar pela perfeição e não conquistá-la.

"Aprendi que o caminho do progresso não é rápido nem fácil."

– Marie Curie

43

Vou desfrutar a riqueza deste dia.
Minha vida está tecendo um desenho intrincado
e necessário que é só meu.

Cada experiência pela qual passamos faz parte do quadro geral de nossa vida. Os passos dados, o caminho que trilhamos hoje e a direção que tomaremos amanhã não são obra do acaso. Há um sentido. Cada um de nós tem um destino. Podemos ter perdido o rumo um dia e podemos nos desviar de novo no futuro. Mas seremos conduzidos de volta, e nossos caminhos irão se cruzar. Nenhum de nós viaja sozinho. Temos uns aos outros e ainda possuímos a força criativa no leme de nossa vida.

Quando olhamos ao redor e pensamos em como nossa existência é influenciada pelas pessoas próximas, percebemos que também interferimos na vida delas. A maioria de nós jamais teria previsto os fatos que provocaram essas mudanças. Nem pode imaginar o que o futuro trará. Mas sabe, com certeza, que estamos seguros, pois um poder maior está conduzindo nossas vidas.

Já tivemos medo de não sobreviver a uma situação. Talvez ainda lutemos contra o medo de novas experiências. Mas cada vivência acrescenta uma trama necessária ao desenho que nossa vida está tecendo. Temos a dádiva de refletir. Hoje, entendemos a importância de alguns fatos do passado. No mês que vem, no ano que vem, entenderemos o dia de hoje.

"É curioso o desenho que a máquina de bordar da vida pode formar."

– Frances Marion

44

Vou procurar talentos em mim e nos meus amigos.
Vou comemorá-los e em pouco tempo
saberei como usá-los.

Todos nós temos muitos talentos. Talvez eles ainda precisem ser descobertos. Pode ser que um dia tenhamos duvidado deles, da nossa meta e da dádiva que temos para oferecer ao mundo. Tudo é uma questão de tempo. Com o apoio dos amigos e consciência seremos incentivados a identificá-los, festejá-los, cultivá-los. E teremos a ousadia de oferecê-los!

Usar plenamente nossos talentos faz parte do plano maior da vida e pode nos levar a novos empregos, novos amigos, a lugares que não conhecemos. É possível que a perspectiva de novos horizontes nos anime. Ou nos assuste. Mas podemos ter certeza de que, da mesma forma que não recebemos problemas grandes demais para enfrentar, não recebemos talentos grandes demais para aprimorar. A força para ir em frente estará sempre disponível, se tivermos fé.

"Todas as pessoas têm talento. O difícil é ter coragem de seguir o talento até o lugar desconhecido aonde ele nos leva."

– Erica Jong

45

As pessoas vão seguir meus passos. Vou andar devagar, com humildade e amor.

Servimos de modelo para muitas pessoas: nossos filhos, nossos colegas de trabalho, nossos parceiros. Precisamos dar bons exemplos para qualquer pessoa porque, na verdade, todos nós, conscientemente ou não, imitamos o comportamento de quem admiramos. Muitas vezes imitamos até o mau comportamento.

Para dar um bom exemplo, precisamos prestar atenção às situações e responder de maneira apropriada. Não podemos esquecer que nosso comportamento está sempre dizendo quem somos, o que valorizamos, como vemos as pessoas próximas.

Ter uma vida baseada em princípios exige prática. O que esperamos é o progresso, não a perfeição. Estamos aprendendo a controlar nossas ações, porém o mais importante é que estamos definindo nossos valores.

Há pessoas prestando atenção ao que fazemos. Esta pode ser a chance que esperávamos para criar um comportamento positivo.

"A maioria das crianças ouve o que você diz, algumas fazem o que você diz, mas todas fazem o que você faz."

– Kathleen Casey Theisen

46

Preciso dos outros. Preciso fortalecer meus apoios, minhas ligações com as pessoas para a segurança e o sucesso de cada um de nós. Hoje, posso demonstrar meu amor e garantir aos que amo que eles são importantes para mim. Depois, seguiremos renovados.

Demonstrar amor nos acalma e dá aconchego àqueles que amamos. Convida a uma intimidade que reduz a distância. É bom expressar amor, seja com um sorriso, um abraço ou uma prece – aumenta a sensação de estarmos vivos.

Apreciar a presença de uma pessoa mostra que nós também estamos sendo apreciados. Cada um de nós sabe o que é se sentir esquecido ou passar despercebido. O reconhecimento, por outro lado, nos dá a garantia de que não estamos sendo rejeitados.

Saber que somos amados pode ser a chave para fazer o que tememos. O amor nos ajuda a seguir em frente, e nós também podemos apoiar os outros. Se falharmos, teremos a quem recorrer.

O amor cura. Ele fortalece e dá coragem não só quando o recebemos mas também quando o damos. Saber que somos amados faz com que nossa existência seja especial. Mostra que somos importantes para os outros. Precisamos honrar nossos amigos garantindo-lhes que eles também são pessoas únicas.

"Amar, como rezar, é uma força e também um processo. É curativo e criativo."

– ZONA GALE

47

Desejar a vontade de Deus é a minha maior aspiração. Todas as coisas funcionam para o bem quando permito que meu poder superior determine meus desejos.

Há uma crença geral de que sempre vamos realizar os "verdadeiros" desejos de nosso coração. Mas talvez devêssemos agradecer quando alguns deles não são realizados. O que não é para o nosso bem pode abrir caminho para muitas experiências desnecessárias e dolorosas.

É comum desejarmos um emprego melhor, uma relação mais apaixonada, um amigo mais cuidadoso, uma previsão do tempo diferente. Mas é raro aproveitarmos a oportunidade que temos diante de nós, por não percebermos que ela é o bilhete de entrada para o próximo ato da nossa vida.

Às vezes, a visão do quadro à nossa frente é muito limitada e não temos como saber do que precisaremos para atravessar a distância que a vida nos reserva. Se nossos desejos são puros, nos levarão ao destino certo. Mas, se forem motivados pelo nosso egoísmo, vão nos desviar do caminho. Muitas vezes, no passado, não renunciamos a esse tipo de vontade. E as dolorosas memórias desse tempo ainda estão vivas.

"A vida é feita de desejos que, num determinado instante, consideramos grandes e fundamentais e, no minuto seguinte, nos parecem pequenos e absurdos. Acho que, no final, obtemos o que é melhor para nós."

– Alice Caldwell Rice

48

Vou esperar por este dia.
Cada dia é um novo começo.

Devemos nos responsabilizar por nós mesmos, por quem nos tornamos, pelo modo como vivemos cada dia. A tentação de culpar os outros está sempre presente. E grande parte do nosso passado é feita de dias ou até de anos perdidos, porque responsabilizamos outra pessoa por nossa infelicidade.

Podemos ter culpado nossos pais por não nos amarem o bastante. Podemos ter rotulado nosso companheiro de vilão. Outras pessoas tiveram influência sobre nós. É verdade. Mas nós deixamos que elas nos controlassem, dominassem, envergonhassem. Sempre tivemos outras opções, mas não as escolhemos.

Hoje é um novo dia. Estamos aprendendo quem somos e como queremos viver. Que estimulante saber que você e eu podemos dar nosso toque especial ao dia de hoje. Somos capazes de alcançar nossas necessidades pessoais. Podemos, com antecedência, planejar nosso caminho. Acabaram-se os dias de passividade se escolhermos seguir em frente a partir de agora.

"Os pais só podem dar bons conselhos ou indicar o melhor caminho, mas a formação da personalidade está nas mãos de cada pessoa."

– Anne Frank

49

Vou observar as qualidades dos outros. E vou elogiá-las.

Enxergar as qualidades dos outros faz bem à nossa alma. O respeito e o amor por nós mesmos aumentam cada vez que reconhecemos as virtudes alheias. É comum nos compararmos a algumas pessoas e concluirmos que não conseguiremos ser iguais a elas (fulana é mais bonita ou mais magra, ciclano é mais inteligente, tem mais humor, carisma, etc.). Assim, acabamos nos sentindo inadequados e com raiva delas.

Mas, se demonstrarmos amor e admiração pelos nossos semelhantes, a imagem que temos de nós mesmos melhorará naturalmente. Essa é uma verdade espiritual. É como se as qualidades dos outros grudassem em nós. Aprimorar nossa auto-imagem diminui qualquer defeito que imaginemos ter.

O elogio ameniza. A crítica endurece. Estamos aptos a nos tornar tudo o que queremos ser. Atraímos o amor das pessoas à medida que nos dispomos a dar amor e admiração. Podemos ajudar uns aos outros investindo no nosso amor-próprio, tão necessário para viver bem cada dia.

"É mais saudável ver as qualidades dos outros do que analisar nossos defeitos."

– Françoise Sagan

50

O contato consciente com Deus está apenas a uma prece de distância. Minha vida será iluminada, meus problemas serão resolvidos e minhas esperanças se realizarão sempre que eu buscar inspiração divina. Vou meditar sobre isso.

Certamente, ao longo da vida, conhecemos pessoas que nos fizeram rir, ter esperança ou que nos ajudaram a realizar grandes mudanças em nós mesmos ou nos outros. É sempre um prazer estar com elas. Saímos de cada encontro acreditando mais em nós, cientes de que podemos resolver os problemas que antes nos paralisavam.

Essa dádiva especial de inspirar os outros também está à nossa disposição. A inspiração vem de Deus.

Podemos pedir a Deus a força de que precisamos. Ela virá. Também podemos pedir que Ele nos coloque na direção certa, nos mostre os passos que devemos dar hoje. Depois é só esperar.

As pessoas que nos motivam, em geral, têm uma forte ligação com Deus. E, através delas, temos acesso a essa conexão que nos inspira.

Vamos reservar um tempo hoje, antes que nossas obrigações nos sobrecarreguem, para fazer a conexão com nosso poder superior. Quando ela estiver firme, não precisaremos mais esperar que os outros nos dêem incentivo para realizar nossos planos. A inspiração estará dentro de nós e nos empurrará para a frente. Nosso caminho será iluminado.

"A influência de uma pessoa boa, generosa e alegre contagia as outras e pode mudar uma cidade inteira."

– Eleanor H. Porter

51

Não vou procurar amor. Vou apenas dar.
Com isso, serei dez vezes mais abençoado.

Com que facilidade confundimos atenção com amor. Ou, pior ainda, achamos que nossa capacidade de controlar uma pessoa significa amar – e que isso nos garantirá seu amor. Mas esse sentimento tão especial é algo bem diferente de atenção ou controle.

O amor nos faz libertar os outros e deixar que voltem quando quiserem. Quando amamos, as necessidades da outra pessoa ficam acima das nossas, sem que isso nos traga qualquer arrependimento. O amor é generoso, vai além do eu. Apara as arestas e nos liga às pessoas com as quais estamos cumprindo nosso destino. O amor nos completa.

Querer amar é um desejo normal, que não deve ser negado. Mas quanto mais nos concentrarmos em dar e menos em receber, mais seremos amados. Amar a si mesmo também atrai o afeto dos outros.

O amor inspira – a nós e todos a quem amamos. Ilumina nosso caminho, ameniza nossas cargas, possibilita nosso desenvolvimento.

"Amar não é receber, mas dar. É sacrifício. E o sacrifício é ótimo!"

– JOANNA FIELD

52

Vou confiar na minha visão de harmonia e plenitude e ser grato pela riqueza do meu espírito.

Será que já houve um tempo em que não nos sentíamos divididos? Às vezes temos um vislumbre do que é a plenitude espiritual, mas quase sempre estamos às voltas com conflitos e sentimentos de inadequação. Talvez a criança represente o guia espiritual que pode nos ajudar em nossa tentativa de nos aceitarmos.

"Posso não ser perfeito, mas algumas partes de mim são excelentes", afirma o escritor Ashleigh Brilliant. Se, com esse bom humor, reconhecermos nossas virtudes, em vez de lamentar nossos defeitos, seremos felizes. Mas, se nos fixarmos em nossas contradições, estaremos lhes dando muita importância, muito poder.

"A criança é quase um símbolo universal da transformação da alma. A criança ainda não está dividida. Por isso, quando houver necessidade de curar a mente, devemos pedir que essa criança fale conosco."

– Susan Griffin

53

É bom ajudar outra pessoa a se sentir valorizada.

Todos nós merecemos amor e aceitação incondicionais. Só que dificilmente os recebemos o tempo todo e muito menos os damos aos outros.

É humano encontrar defeitos nas pessoas e ter expectativas grandes demais. Mas pagamos um preço por isso. Em vez de viver com serenidade e alegria, acompanhando o desenrolar dos fatos, costumamos criticar, julgar e ficar insatisfeitos a maior parte do tempo. Que desperdício!

Felizmente, temos outra opção: relaxar e entregar a Deus, viver e deixar que os outros vivam. Também devemos lembrar, hoje e sempre, que somos especiais e totalmente amados por nosso Criador.

A maior ajuda que podemos dar aos nossos maridos e esposas, filhos e amigos é demonstrar que nos preocupamos com eles. Que os amamos e aceitamos. O amor que desejamos vai voltar para nós.

"Nós precisamos tanto de elogios que elogiamos os outros para também sermos elogiados."

– Marjorie Bowen

54

A intimidade permite que eu ajude outra pessoa a ter uma vida plena e repleta de paz. Hoje vou me aproximar de alguém.

Intimidade significa mostrar-se por inteiro para outra pessoa. Nada a ocultar, tudo às claras. Não há dúvida de que isso traz riscos: de rejeição, críticas, humilhação. Mas o bem-estar que sentimos é diretamente proporcional à paz que passamos a ter.

Todos os dias que nos comprometemos com nosso crescimento pessoal e nossa recuperação encontramos um pouco mais de paz. Cada conversa que temos com nosso poder superior nos traz um pouco mais de segurança. Cada vez que atendemos às necessidades de outra pessoa sentimos que o peso que carregamos diminui.

A serenidade vem aos poucos. Aceitar nossa impotência aprofunda nossa paz de espírito. Recorrer a um poder maior ajuda a vencer a resistência diante das dificuldades. Perdoar a nós e os outros, todos os dias, aumenta o valor que damos à vida e aumenta nossa humildade.

Cada um de nós é parte do espírito criativo que rege o mundo. Os detalhes de nossa vida estão sob controle. Podemos ficar em paz. A pessoa que somos é quem precisamos ser.

"Só podemos ter intimidade com os outros quando encontramos a paz dentro de nós."

– Angela L. Wozniak

55

Meu amor contribui para o sucesso de outra pessoa. E a gratidão dela dá mais sabor às minhas conquistas. Hoje vou dedicar algum tempo a alguém que precise do meu amor.

Sermos amados – e saber que somos amados – assegura nossa ligação com o mundo exterior e nossa participação no plano maior da vida. Todos nós precisamos saber que somos importantes, que dizemos e fazemos coisas relevantes para os outros – que estamos contribuindo de uma maneira valiosa.

No entanto, com freqüência, sentimos que não somos amados. E buscamos desesperadamente amor. Muitas vezes acabamos fracassando porque estávamos muito centrados em nós mesmos. O segredo é dar amor, pois assim receberemos dez vezes mais. Se não estamos nos sentindo amados, devemos dar amor a alguém e o amor nos visitará.

Podemos ajudar as pessoas que conhecemos a terem o sucesso que merecem. A confiança para enfrentar novas situações vem junto com a dádiva do amor.

"A mulher que é amada sempre tem sucesso."

– Vicki Baum

56

A depressão só existe se for cultivada. Posso escolher ficar longe dela. Vou dar atenção a outra coisa em vez de me concentrar nos problemas. E desfrutar o resultado.

A depressão se auto-sustenta. Se lhe damos muita atenção, ela se intensifica. O melhor é desviar o foco para outras pessoas. Podemos cuidar de alguém que está lutando para encontrar seu rumo. Ou observar homens, mulheres e crianças nas ruas e perceber que eles também sofrem.

Fazer alguma coisa por alguém diminui nossos problemas, sejam lá quais forem suas causas. Na verdade, sair da inércia já traz uma melhora. A depressão se torna um hábito e é fácil se acostumar aos hábitos, mesmo os prejudiciais. A sensação de ter chegado ao fundo do poço aumenta quando sentimos pena de nós mesmos. Devemos trocar a autopiedade por mimos e cuidados pessoais que demonstrem aprovação, ternura e respeito – três atitudes que não combinam com depressão.

"Atos nobres e banho quente são o melhor tratamento para a depressão."

– Dodie Smith

57

O dia de hoje terá uma "clareza" que apreciarei. Sei quem eu sou e no que acredito. Só preciso agir de acordo com as minhas convicções.

É difícil adquirir uma noção firme de si mesmo, ter uma autoimagem bem definida quando os parâmetros oferecidos por nosso sistema de valores são falhos. Nossos valores mostram quem somos, nos dão uma direção quando precisamos fazer uma escolha e exigem que nos comportemos de forma responsável. Viver de acordo com nossos princípios traz paz à nossa alma.

Muitos de nós já passamos por situações em que não tínhamos opinião: acreditávamos no que era mais conveniente no momento, influenciados pelas pessoas com quem convivíamos. Os valores não eram definidos nem seguidos. Esses dias ficaram para trás. Hoje temos um plano de vida que apaga as muitas incertezas e acaba com os sofrimentos do passado.

"Há muito tempo percebi que uma crença que não se baseia nas emoções não é uma crença!"

– Evelyn Scott

58

Posso oferecer minha sabedoria aos outros. Toda a dor do passado ilumina o futuro de alguém, quando abertamente compartilhada. Vou desfrutar a alegria disponível.

Para muitos de nós, o sentimento de vergonha e até de ódio por si mesmo é o padrão. Ninguém tem um passado imaculado, sem vícios ou problemas. Cada homem, cada mulher, até mesmo cada criança se arrepende de alguma coisa que fez. Não somos perfeitos. O plano divino não espera a perfeição. Mas espera que vivamos nossas experiências e cresçamos a partir delas, sem ter vergonha, para comemorar o que aprendemos.

Cada dia é um novo começo para assimilar tudo o que temos sido. O que passou enriquece o que somos agora. As experiências que vivemos nos preparam para ajudar os outros, para facilitar o caminho de outra pessoa que esteja buscando uma nova direção.

Podemos deixar de lado a vergonha. Todos nós somos parecidos. Temos defeitos. Nossas provações ajudam outra pessoa a viver melhor.

"Há um período na vida em que 'engolimos' uma idéia de nós mesmos – e ela se torna agradável ou amarga dentro de nós."

– Pearl Bailey

59

Minha jornada de hoje é parecida com a de ontem e também com a de amanhã. Vou saborear cada instante e me preparar para o seguinte.

Deixar a vida nos levar, em geral, não é fácil. "Como fazemos isso?", costumamos nos perguntar. Simples: é só desviar nossa atenção de uma determinada experiência ou pessoa e colocar o foco no aqui e agora.

Temos o hábito de nos agarrar ao passado – tanto às dores quanto às alegrias que vivemos. Vamos deixar o ontem para trás. O apego ao passado torna o presente nebuloso, nos impedindo de ver as oportunidades que o dia de hoje nos traz.

Deixar a vida fluir pode ser um processo tranqüilo. E ter confiança em nosso poder superior e fé de que o bem vai prevalecer facilitará ainda mais nossa jornada. É importante deixar que cada experiência chegue ao fim, seja ela boa ou má, alegre ou triste, pois todas contribuem para nosso crescimento e nossa plenitude. Nenhuma vivência será desprezada por nosso eu interior, que está traçando nosso curso. Elas fazem parte da caminhada. E todo momento acaba suavemente, mas nenhum é esquecido.

"Uma das coisas que a velhice me ensinou é a importância de viver o momento presente. Antes, eu achava que o amanhã seria sempre melhor, mais alegre ou mais interessante."

– Ruth Casey

60

Vou prestar atenção a tudo o que estiver no meu caminho. Vou observar as mulheres e as crianças, as árvores e os animais, as pessoas em silêncio ao meu redor. Nunca mais vou vê-los como hoje. Estarei atento.

Deixamos de notar tantas alegrias, tantos tesouros escondidos, quando corremos de um lado para outro, de uma pessoa para outra, de uma experiência para a seguinte, sem nos determos em nada. Tudo o que importa está diante de nós neste momento. E não vamos percorrer esse caminho outra vez. Temos apenas esta vida para viver, e cada dia é uma bênção.

Por isso, a maior dádiva que podemos oferecer uns aos outros é a atenção plena, arrebatada. Além disso, estarmos atentos à brisa, às cores, às tristezas e às emoções é a meta mais louvável que podemos ter. Nada mais nos é pedido. Nada mais é esperado de nós. Nossa atitude em relação às lições que a vida nos oferece é o que faz toda a diferença no mundo.

"Quando me detenho o suficiente para sentir o perfume das rosas, costumo ver a beleza e tudo o mais que temos para desfrutar."

– Morgan Jennings

61

A inquietação é o termômetro de minha saúde espiritual. Talvez, hoje, eu precise rezar.

A inquietação vem da frustração, talvez por não conseguirmos avançar com a rapidez desejada, por nos sentirmos presos a um trabalho que detestamos ou assombrados por problemas do passado. Ou, quem sabe, o perfeccionismo esteja nos impedindo de alcançar nossas metas. Podemos aprender com a inquietação, pois ela indica a que distância estamos do nosso poder superior.

Por outro lado, a busca da serenidade nos leva muitas vezes ao extremo oposto – à inquietação. Achamos que um emprego melhor, uma casa maior ou uma nova relação vão nos satisfazer, mas logo descobrimos que carregamos nossas ansiedades para onde formos. A paz mora dentro de nós, e a oração é a porta de entrada para chegar a ela.

Talvez seja hora de mudar nossas vidas, mas só a relação com Deus poderá garantir a transformação necessária. Com paciência e tranqüilidade, estaremos prontos para essa bênção.

"É preciso tempo, amor e apoio para que uma pessoa inquieta encontre a paz."

– Deidra Sarault

62

Todo dia é um treinamento. E toda vivência me ensina a reconhecer o valor da seqüência de experiências.

Nenhum fato de nossa vida é isolado, imaculado, separado de todo o resto. A vida segue um fluxo incessante. Leva-nos de um instante ao próximo, de uma experiência a outra. Onde estamos hoje, o crescimento que tivemos e os planos que fazemos são inspirados pelos mesmos desejos que contribuíram para várias ações de anos atrás.

Podemos pensar num determinado fato e considerar que ele foi decisivo para a nossa transformação. Mas uma única experiência não é capaz de mudar nossa vida. Toda vivência conta, mas é a sucessão de acontecimentos, do passado e do presente, que leva aos momentos de virada que nos impulsionam montanha acima. Vamos chegar ao topo. E entenderemos como, todas as vezes que tropeçamos, conseguimos ganhar mais força.

"Será que existe um momento específico que alguém possa apontar e dizer 'Tudo começou naquele dia, a tal hora, em tal lugar, com determinado fato'?"

– Agatha Christie

63

O amor-próprio me torna sensível e tolerante com os outros. O amor é um bálsamo para todas as feridas e se multiplica à medida que é demonstrado. Ele pode começar com um sorriso.

O esforço para amar os outros deve ser diário e se torna ainda mais difícil porque estamos engatinhando na tentativa de amar a nós mesmos, o que também exige prática.

Muitos de nós passamos boa parte da vida nos sentindo desajustados, chatos e sem grandes atrativos, esperando o pior das relações com os outros. Mas essa fase está ficando para trás. Estamos começando a nos respeitar e admirar. Ontem fizemos alguma coisa boa que nos alegrou. E, quando nos sentimos bem com nossos atos, olhamos com amor para as pessoas ao redor.

O amor por si próprio incentiva o amor pelos outros. Devemos começar a valorizar o que conseguimos fazer em vez do que ainda não realizamos. Cultivar nosso eu interior evidencia os valores que estão se desenvolvendo e que podem proporcionar novas oportunidades e conquistas. E, principalmente, nos torna capazes de amar a pessoa que vemos no espelho a cada manhã.

"Não se compare com os outros, pois você é uma criação única e maravilhosa. Deixe as suas pegadas no caminho."

– Barbara Kimball

64

Toda experiência pode me engrandecer, se eu não deixar a raiva me dominar.

Todos nós sabemos o que é a raiva. Sentimos raiva dos outros e percebemos quando sentem raiva de nós. Em geral, não conseguimos aceitá-la e demonstrá-la. Muitos de nós ouvimos, quando pequenos, que não deveríamos nos zangar, embora não conseguíssemos evitar isso. E até hoje nos comportamos como crianças quando se trata de lidar com esse sentimento.

Precisamos aceitar a nossa raiva e aprender a demonstrá-la sincera e abertamente, de forma positiva e não agressiva. Não podemos nos agarrar a ela. A fúria aumenta, esquenta e explode. Em pouco tempo, interfere em todos os nossos relacionamentos e se torna a desculpa perfeita para agirmos segundo velhos padrões de comportamento autodestrutivos. Não queremos mais isso.

Nada do que pretendemos fazer hoje terá resultado positivo se carregarmos rancor dentro de nós. A maneira como levamos a vida, como tratamos os amigos, o que fazemos com as oportunidades e os desafios – tudo isso é determinado pela nossa conduta. A raiva reprimida sempre fica no caminho da atitude positiva.

"Sem dúvida, a raiva reprimida envenena um relacionamento tanto quanto palavras cruéis."

– Joyce Brothers

65

Hoje terei oportunidade de ficar extremamente animado ou totalmente sério. Tentarei focar no meio-termo e cultivar meu senso de humor.

Muitos de nós vivemos em extremos: animação total ou seriedade absoluta. A euforia nos dá uma sensação de bem-estar que queremos prolongar a qualquer custo. Já a seriedade nos controla e tira a graça de tudo o que fazemos. Os dois sentimentos paralisam. Nenhum deles dá vazão à espontaneidade, tão necessária para uma vida plena e saudável.

No vício – seja de bebida, drogas, comida ou pessoas – procura-se um sentimento que não se tem. Corre-se atrás de uma felicidade artificial, de uma alegria exagerada, talvez pelo pouco entusiasmo com a vida. Mas nunca se consegue alcançá-la.

Não devemos desistir da busca. Mas precisamos encarar os dois sentimentos, a animação e a seriedade, como passageiros. A procura deve ser pelo meio-termo. O senso de humor nos ajuda a lidar com todas as dificuldades da vida. E nos dá o equilíbrio necessário para sermos felizes.

"Ficar loucamente animado ou absolutamente sério – as duas atitudes são erradas. É preciso manter sempre o senso de humor."

– Katherine Mansfield

66

A coragem é uma dádiva. Terei coragem para enfrentar um novo dia e lidar com todos os problemas. A paz está aliada à coragem, agora e sempre.

A experiência nos ensinou que sentimos uma onda de paz ao concluir com sucesso uma tarefa difícil. A coragem traz essa recompensa. De tempos em tempos, de desafio em desafio, precisamos lembrar que a paz só chega quando conseguimos acabar o que começamos.

Em anos passados, em nossa busca desesperada por paz, nossos medos nos dominavam. Quase não tínhamos coragem. As tarefas ficavam pela metade – ou não eram feitas. Os desafios deixavam de ser enfrentados. E a paz era algo fugaz.

Confiando num poder superior, passamos a ter coragem. A paz é nossa agora e sempre. Se, por acaso, com o surgimento de novos trabalhos, amigos ou vivências, os velhos medos voltarem, vamos lembrar que eles não têm mais controle sobre nós. Temos parceiros para nos ajudar a enfrentá-los. Que alívio essa simples verdade nos traz!

"A coragem é o preço que a vida cobra por nos conceder paz."

– Amelia Earhart

67

Não conseguirei enterrar as experiências passadas até lastimar tudo o que precisa ser lastimado ou rir do que merece ser encarado com mais leveza. O presente é distorcido quando fica à sombra do passado.

Todos nós conhecemos pessoas que vivem à margem. Parecem não se envolver com o que se passa ao seu redor, como se uma parede de vidro as separasse de tudo. Às vezes nos juntamos a essas pessoas solitárias que se mantêm à parte, longe da vibração da vida. O medo afasta as pessoas, principalmente o de revelar suas vulnerabilidades e se deixar levar pelas emoções.

Para colher as coisas boas da vida, temos de arriscar nos mostrar por inteiro aos outros e nos expor às experiências. O envolvimento pleno nos altos e baixos da vida leva às lágrimas que acompanham tanto a dor quanto a alegria – e também traz as delícias do riso.

O riso e o choro nos lavam por dentro – são o desfecho de uma experiência. Eles nos permitem deixar o passado para trás. E nós precisamos nos desapegar das tristezas e alegrias vividas a fim de nos preparar para a próxima bênção que a vida nos trará.

Quando nos isolamos e contemos as lágrimas ou o riso, impedimos que a riqueza da vida chegue a nós. Temos de viver integralmente uma experiência para aprender tudo o que ela pode nos ensinar. E, então, nos libertarmos dela.

"Quem não sabe chorar de todo o coração também não sabe rir."

– Golda Meir

68

Não receberei mais do que eu e meu poder superior podemos suportar hoje ou em qualquer outro dia.

Com toda a ajuda à nossa disposição, não existe problema que não possa ser superado. Não devemos ficar abatidos nem desanimados. Aprendi a "relaxar e entregar a Deus". É aí que está a solução.

Nossos desafios nos conduzem para a solução espiritual do problema e nos aproximam da pessoa que estamos destinados a ser. Nosso medo é fruto da falta de confiança de que o poder superior seja capaz de nos mostrar a direção que devemos seguir.

Todos os dias enfrentaremos desafios. Há muitas lições a aprender, e as dores do crescimento são inevitáveis. Não podemos esquecer que as dificuldades são oportunidades de desenvolvimento e que a solução se encontra dentro de cada problema.

"Podemos suportar tudo o que nos é dado. Essa é uma lei da vida espiritual. O único obstáculo para o perfeito funcionamento dessa e de todas as leis benéficas é o medo."

– Elizabeth Goudge

69

A lição mais importante que devo aprender, a que vai acabar com toda a minha dor e toda a minha luta, é receber integralmente aquilo que é ofertado em cada momento da vida.

Resistir aos fatos, às situações, às muitas pessoas que passam pelas nossas vidas impede o crescimento que nos é oferecido diariamente. Cada momento nos traz alguma dádiva: a da consciência do outro, da natureza ao nosso redor ou da nossa contribuição pessoal ao mundo. E da consciência surge o crescimento.

Viver o agora, atento a cada momento, garante a proteção de Deus. Por outro lado, quando nos deixamos levar e ficamos ansiosamente imaginando o futuro, nos privamos da segurança que Deus nos dá aqui e agora.

Estar ciente neste minuto do que está acontecendo – apenas isso – diminui todas as ansiedades e apaga todos os medos. Só há conflito quando desviamos a atenção do momento presente. No agora está toda a paz.

"Cheguei à conclusão de que *a atenção contínua* não deve ser um treinamento mental em regime militar, mas uma disposição permanente para ver e aceitar o que quer que seja."

– Joanna Field

70

Posso fazer com que este dia seja lembrado com carinho. Vou valorizar um amigo e falar sobre sua importância na minha vida.

Desmerecer nossos amigos e entes queridos, esperando que sejam perfeitos em tudo, diminui a importância que temos na vida uns dos outros. Ser intolerante com alguém próximo pode aplacar um pouco da tensão que sentimos por causa de nossas imperfeições. Mas cria outra tensão, que pode acabar fazendo com que nossos amigos nos deixem.

Não devemos esquecer que as amizades são fundamentais para o crescimento. Nossos caminhos não se cruzaram por acaso. Fazemos parte do plano de vida uns dos outros e precisamos ser gratos por essas dádivas.

Cada um de nós é dotado de muitas qualidades, e esperamos, claro, que todos só prestem atenção nelas, ignorando nossos defeitos. Devemos fazer o mesmo com relação aos amigos. Podemos nos concentrar nos seus aspectos positivos. E só veremos coisas boas – nos amigos, em nós mesmos, em todas as situações. Uma atitude positiva incentiva todo mundo. Vamos procurar o bem e, com o tempo, só o bem chamará a nossa atenção.

"Trate seus amigos como se estivesse tirando uma fotografia: coloque-os na luz mais favorável."

– Jennie Jerome Churchill

71

Se viver bem o dia de hoje, estarei preparado tanto para o prazer quanto para a dor de amanhã.

Quando olho para o dia de hoje, sei que ele me reserva experiências inesperadas, momentos de riso e pontadas de medo. A vida quase nunca é o que esperamos, mas podemos ter certeza de que sobreviveremos aos tempos difíceis. São eles que vão nos ajudar a vencer nossas limitações. Viver é uma mistura de prazer e dor.

Esquecemos facilmente que nosso crescimento vem dos desafios que rotulamos de "problemas". Mas possuímos as ferramentas para colher os benefícios advindos dos contratempos que enfrentaremos hoje. Vamos seguir em frente, com calma, e ver as barreiras desaparecerem.

Talvez até seja preciso "inverter" o dilema. Aceitar que não temos controle sobre nossos filhos, cônjuges ou colegas de trabalho pode nos tirar um peso. Ou, quem sabe, fazer as pazes pode abrir um desejado canal de comunicação com alguém importante em nossas vidas. Agindo assim, os fatos de nosso dia serão costurados e ganharão sentido.

"A vida é uma colcha de retalhos – aqui e ali, fragmentos de prazer e desespero reunidos ao acaso."

– Anne Bronaugh

72

A oração e a meditação vão orientar meus esforços. Minha meta poderá, então, ser alcançada.

Cada um de nós está tecendo sua própria trama, dando textura, cor, forma ao "grande desenho" que serve a todos nós. Nossos atos, pensamentos e valores complementam os dos amigos e parceiros, assim como os da humanidade inteira. Estamos todos seguindo na mesma direção – nossos caminhos correm paralelamente, cruzam-se de tempos em tempos e, movidos pela inspiração, podem mudar bruscamente de rumo para chegar a um propósito individual.

O mais importante é lembrarmos – e que alento isso nos dá! – que nossa vida tem uma finalidade. O que fazemos neste momento, nossa interação com os outros, nossas metas e realizações têm um impacto imenso na vida das pessoas. Somos interdependentes. Nosso comportamento sempre desencadeia pensamentos e reações importantes em alguém. Todos nós temos uma contribuição a oferecer. E cada um está dando sua colaboração especial quando mantém, por meio da oração e da meditação, um bom relacionamento com Deus – o grande artista do desenho que estamos criando.

"O progresso humano nada mais é do que uma grandiosa trama tecida por tênues fios individuais unidos no mesmo esforço."

– Soong Mei-ling (Madame Chiang Kai-shek)

73

Os segredos nos fazem adoecer.
Vou ouvir, compartilhar e ficar bem.

Cada um de nós foi agraciado com a capacidade de dar atenção a quem precisa de nós. E quase todos os dias temos a oportunidade de ouvir, apoiar e oferecer esperança onde ela foi destruída.

Nossas vidas não são desconectadas. A interdependência é a nossa bênção; porém, não reconhecemos isso em momentos cruciais. Quebramos a cabeça sozinhos. Ao nosso redor, outras pessoas também sofrem em silêncio. Precisamos nos comunicar. Os segredos que guardamos nos afastam da saúde emocional que merecemos.

Nosso bem-estar aumenta cada vez que compartilhamos nossa história de vida ou oferecemos nossa atenção plena. Para que a dor que vivemos – e superamos – tenha alguma utilidade, precisamos fazer parte da dor e do crescimento de outra pessoa. O sofrimento tem um propósito em nossas vidas e nas dos nossos amigos. Ele é nosso elo de ligação, a ponte que aproxima as duas margens do mesmo rio.

Temos medo de sentir dor e também detestamos o sofrimento por que nossos amigos passam. Mas cada um de nós ganha quando aceita esses desafios como convites para o crescimento e a aproximação com os outros.

"Apesar de não poder resolver seus problemas, estou à sua completa disposição sempre que você precisar de mim."

– Sandra K. Lamberson

74

Os obstáculos que enfrento me convidam a crescer, a ir além do que sou hoje. Eles me oferecem oportunidades para ser a pessoa que eu sempre quis ser. Vou ser corajoso. Não estou só.

Obstáculos inesperados, barreiras que atrapalham nosso progresso, portas que se fecham podem nos confundir, frustrar e até deprimir. O mais difícil é entender que o que é bom chega devagar. Normalmente, lutamos contra isso, mesmo depois de já termos compreendido como a vida funciona. Felizmente, apesar das adversidades, continuamos sendo atraídos para o caminho que será melhor para nós.

Às vezes nos perguntamos por que uma porta se fechou. Mas as portas não se fecham a menos que seja necessário tomar outra direção. Precisamos aprender a confiar que todo obstáculo tem uma finalidade, por mais estranho que isso possa parecer.

Diante de uma dificuldade, devemos aceitar nossa impotência, acreditar que existe um poder superior controlando tudo e buscar sua orientação. Lutar contra um obstáculo ou forçar uma porta fechada são atitudes que só vão aumentar nossa frustração. A *aceitação* tem o poder de abrir nossa mente e nosso coração para o melhor caminho a seguir.

"Em face de um obstáculo impossível de vencer, teimosia é bobagem."

– Simone de Beauvoir

75

Os defeitos se tornam piores quando prestamos atenção neles. Vou fortalecer minhas qualidades.

Se nos concentrarmos nos pontos positivos de cada pessoa que encontrarmos hoje, sairemos ganhando de inúmeras maneiras. Isso tornará nossos relacionamentos mais harmônicos, estimulando os outros a também nos tratarem com gentileza. Ficaremos mais conscientes da bondade ao nosso redor e, ao perceber que todos têm qualidades, reconheceremos que também temos as nossas. O maior benefício é que evoluiremos como seres humanos.

Em nossa busca de crescimento, estamos mudando a cada dia nosso comportamento e nos conscientizando de que tudo o que é bom para nós está ao nosso alcance. Focar nos pontos positivos dos outros e saber que as virtudes deles não competem com as nossas é revigorante.

No passado, podemos até ter odiado secretamente a força de outras pessoas porque nos sentíamos inferiores. Agora escolhemos nos livrar dessa raiva. Optamos pela gratidão – agradecemos por ter usufruído as qualidades dos nossos amigos e ter sido ajudados por elas.

"Nossas arestas se tornam menos evidentes quando ajudamos um amigo a aparar as suas."

– Sue Atchley Ebaugh

76

Faço parte de um quadro muito maior do que o que existe nas minhas preces pessoais. E ele está sendo cuidadosamente orquestrado. Confiarei no papel que escolheram para mim. E serei paciente.

A paciência é uma qualidade fugaz. Queremos o que queremos quando queremos. Felizmente, nossas vontades só são realizadas no momento certo. Mas a espera nos dá a impressão de que nossas preces não foram ouvidas. Precisamos acreditar que a resposta virá na hora certa.

Já pensou como nossas vidas seriam diferentes hoje se os pedidos de semanas, meses, anos atrás tivessem sido atendidos na mesma hora? Cada um de nós percorre um caminho único, com lições especiais. Assim como um bebê precisa engatinhar antes de andar, nós temos de ir devagar, dando os passos certos rumo ao crescimento.

A frustração só existe porque nosso relógio funciona num tempo diferente do de Deus. Mas podemos ter certeza de que nossas preces serão atendidas algum dia, em algum lugar – e para o nosso bem.

"Ela sabe que Deus ouviu sua prece e disse: 'Vai ser feito – um dia, em algum lugar.'"

– Ophelia Guyon Browning

77

Aprendo com a necessidade. E quando o aluno estiver preparado, o professor aparecerá.

Não queremos sofrer. Tememos as situações que sabemos de antemão que serão dolorosas. Procuramos evitá-las e até rezamos pedindo que sejamos poupados. Mas elas vêm, de qualquer jeito, e às vezes em grande quantidade. E não só sobrevivemos à dor como tiramos grandes lições dessas experiências.

O sofrimento pode nos levar ao nosso limite, em geral nos obrigando a buscar a ajuda dos outros e a avaliar novas escolhas em nossa situação atual. A dor é o ponto comum a todos os seres humanos: ela nos enternece, cria empatia com as pessoas ao redor, mostra como os outros são necessários em nossas vidas.

Novos conhecimentos e uma nova consciência são os benefícios da aceitação – mais do que da negação – da dor que faz parte da vida. E assim vamos trilhando o caminho do crescimento. E cada problema ou cada crise são a preparação necessária para darmos mais um passo nessa estrada.

"... a dor é a raiz do conhecimento."

– SIMONE WEIL

78

Se não fico à vontade com certas pessoas e essa sensação permanece, tenho que pensar no que precisa ser dito. Vou me preparar e refletir sobre os passos que devo dar. Depois, serei paciente.

Muitas vezes gostaríamos de dividir um sentimento, uma observação ou até fazer uma crítica a alguém. Mas é sempre um risco. A pessoa pode se magoar ou ir embora, deixando-nos sozinhos. O segredo? Não dizer tudo diretamente. Pesar e medir as conseqüências – pedindo orientação interna – vai nos ajudar a resolver quando falar e quando calar.

Se nossos pensamentos, no entanto, estão interferindo seriamente nos nossos relacionamentos, vamos precisar esclarecer as coisas. Será mais saudável e trará um novo frescor para a convivência. Decidir se vale a pena assumir o risco pode causar uma enorme angústia. Mas, em nosso íntimo, sempre saberemos quando falar. A orientação vai chegar, o momento propício surgirá e as palavras certas serão encontradas.

"Tanto a dizer. E tanto a não dizer! Há coisas que é melhor não dizer. Mas um excesso de coisas não ditas pode se transformar em um peso."

– Virginia Mae Axline

79

A liberdade de viver, crescer, experimentar todas as minhas capacidades está tão perto de mim quanto a minha fé. Vou me apegar apenas a isso e descobrir o amor que está no meu coração e no daqueles que eu amo.

A insegurança favorece a possessividade. Quando não temos confiança em nossa capacidade, quando tememos não ter valor como homens, mulheres, mães, pais, amantes, funcionários, nos prendemos a vícios do passado, a maus hábitos, à necessidade de controlar as pessoas. É ilusório querer que o outro preencha nossa vida, porque ele pode acabar se afastando de nós. E mais uma vez ficaremos perdidos.

Agarrar-se a uma pessoa é uma armadilha, para nós e para o outro: o crescimento de ambos é dificultado. Já buscar a plenitude acompanha o nosso progresso espiritual. À medida que adquirimos consciência da força do nosso poder superior encontramos paz. Passamos a acreditar que estamos nos tornando tudo o que devemos ser. Só precisamos ter fé na conexão com essa força maior. Nunca teremos necessidade de possuir ninguém.

O amor de Deus é nosso a cada instante. Só nos é pedido admitir isso. Aceitar esse amor onipresente nos torna plenos e aplaca a falta de confiança que sentimos em nós mesmos.

"O amor de duas pessoas é algo muito precioso. Não é uma possessão. Não preciso ser dona do outro para me completar. O verdadeiro amor passa a ser a minha liberdade."

– Angela L. Wozniak

80

Se hoje enfrentar algum tipo de mudança, saberei que não estou só. Qualquer situação por que eu tenha que passar é boa para mim. A vida é crescimento. O próximo estágio está me aguardando.

Acostumar-se a uma situação, mesmo que dolorosa, acaba trazendo algum tipo de conforto. Abandonar o sofrimento e fazer as transformações necessárias – seja no trabalho, em casa ou no casamento – exige coragem e apoio dos outros. E, mais do que tudo, fé de que a mudança será benéfica.

Por que demoramos tanto a mudar? Esquecemos que uma nova porta não pode se abrir se não fecharmos a anterior. O importante é ter certeza de que sempre vai surgir uma nova oportunidade – a porta vai se abrir, sem dúvida.

A dor da antiga experiência está tentando nos impulsionar para novos desafios. Podemos lidar com essa transformação. Jamais recebemos algo que não podemos suportar.

Nada pode nos preparar para as inúmeras ramificações de uma mudança. Mas a confiança nos amigos e a fé no processo espiritual nos farão vencer qualquer dificuldade.

"Vá em busca do seu sonho.
Se tropeçar, não pare
Nem perca de vista sua meta.
Continue subindo.
Pois só do alto podemos
Apreciar toda a paisagem."

– Amanda Bradley

81

Terei fé e tudo ficará bem.

Durante muitos anos, nós atrapalhamos o nosso próprio caminho. Olhávamos para nós mesmos e pensávamos: "Eu me comporto de forma autodestrutiva porque não mereço ser amado." Quando nos envolvíamos com pessoas erradas ou colocávamos nossa saúde em risco, argumentávamos: "Estou me punindo, me castigando, negligenciando as minhas necessidades."

Podemos ver claramente como e por que agimos de determinada maneira, mas, se não tivermos fé num poder maior, não conseguiremos sair do lugar. Vamos cometer os mesmos erros e continuar nos "entendendo" do mesmo jeito. Nossa percepção pode até ser usada para nos paralisar, com o objetivo de nos proteger do risco da mudança.

Mas, agora, com nosso despertar espiritual, com a consciência de que um poder superior pode nos ajudar, temos um dom poderoso: a fé na nossa capacidade de crescer e mudar. Somos filhos de Deus. Todo o poder criativo do universo passa por nós – é só não o bloquearmos.

"Intuição não custa nada."

– MARTHA ROTH

82

Perceber quando estou me desvalorizando é um grande desafio, mas eu posso vencê-lo.

Somos vítimas dos rótulos que criamos para nós mesmos – eles nos aprisionam, reduzem nosso campo de visão, afastam as oportunidades e ainda influenciam o que as pessoas pensam a nosso respeito.

São nossas palavras e atitudes que demonstram como queremos ser tratados. Será que a nossa insegurança e o nosso medo não podem ser interpretados como um sinal de que os outros não devem esperar nada de nós? Se não acreditarmos que seremos capazes de enfrentar as dificuldades, isso certamente afetará a visão que as pessoas têm do nosso potencial.

Nós nos tornamos quem nos programamos ser, mas podemos mudar o programa a qualquer instante. E agora é o momento de começar. É hora de nos valorizarmos. Somos tudo o que devemos ser e ainda mais. Temos uma beleza interior que só precisa de incentivo para aparecer. Se sorrirmos com sinceridade, vamos nos libertar de nossas armadilhas. Uma nova vida nos aguarda.

"Devemos tomar cuidado com as palavras porque elas podem virar jaulas."

– VIOLA SPOLIN

83

Deus está querendo chamar minha atenção, dirigir minhas energias para que eu aproveite ao máximo meus talentos especiais. Estarei atento.

Sabemos quais são nossas dádivas? Sem dúvida são muitas, e diariamente temos oportunidade de compartilhá-las com os outros. Fazer isso conscientemente vai nos trazer alegria e aumentar nossa auto-estima. E nós precisamos entender como somos importantes para os outros.

Muitos de nós já passamos por períodos em que nos sentimos à deriva, cheios de raiva ou de vergonha, ou de ambas. Não tínhamos a compreensão de que possuíamos algo para oferecer aos outros. E até hoje ainda podemos duvidar disso, mas estamos aprendendo, pouco a pouco, o nosso valor.

Temos talentos únicos para oferecer ao mundo: talvez saibamos nos expressar muito bem ou, quem sabe, ouvir com atenção um amigo em apuros. Podemos ter dons como músico ou como empresário. Nosso eu interior sabe da nossa força. Devemos ouvir a sua voz.

"Desde a infância incorporamos às nossas vidas as mensagens que recebemos sobre as nossas qualidades ou a falta delas, e esse senso de valor fica entranhado em nossos atos e sentimentos como uma rede trançada com as idéias que fazemos de nós mesmos."

– Christina Baldwin

84

Ao recorrer à fonte espiritual que aguarda meu chamado, não terei medo de expor minhas fragilidades.

A fragilidade, assim como a força, faz parte da natureza humana. Nossa vulnerabilidade impede que sejamos duros, orgulhosos e auto-suficientes. Ela previne a arrogância e tem outra função: convida as pessoas a se abrirem e a expor seu amor.

Na infância aprendemos a ser "fortes", a não pedir ajuda, a não precisar de ninguém. Agora temos que fazer um esforço imenso para pedir ajuda. Mas, à medida que entendemos melhor nossas necessidades humanas e ficamos mais conscientes do apoio espiritual à nossa disposição, a dificuldade de nos aproximarmos dos outros diminui.

Não precisamos mais recorrer a drogas, bebida, comida ou amantes em busca de conforto. Toda a força de que necessitamos está tão perto de nós quanto nossos pensamentos – está na ligação com as pessoas e na conexão com um poder espiritual que pode nos libertar de todos os problemas. Nossas vulnerabilidades vão abrir nossas almas para a enxurrada de força que tanto pedimos em nossas preces.

"Eu me ergo diante de você como um pilar, sustentando o peso do mundo nos ombros. Quando você passar por mim, olhe, mas não muito de perto, pois tenho medo de mostrar meu lado frágil."

– Deidra Sarault

85

Posso transformar meu dia. Posso mudar o sabor das experiências de hoje. Vou elevar meu espírito e saberei que tudo está bem.

Talvez estejamos passando por momentos difíceis que parecem nunca ter fim. E temos a impressão de que um problema atrai outro: dificuldades no relacionamento com as pessoas queridas, conflitos no trabalho, dúvidas sobre nossa aparência, confusões em casa. Tudo isso é fruto da atitude negativa que enfrentamos de vez em quando (uns mais do que outros).

Nosso comportamento determina nossas experiências. Uma situação difícil pode ser suportada mais facilmente se tivermos confiança e esperança. Esquecemos, com freqüência, que temos uma fonte interior de força para superar cada obstáculo. Deixamos de lado uma verdade simples: tudo está bem neste momento, em cada momento. Quando as vivências são boas, nossa presença é leve, alegre. Quando os momentos são pesados, nós também somos.

Os tempos de alegria vão chegar, como invariavelmente acontece, mas sempre acompanhados de uma atitude positiva. Vamos encontrar aquilo que buscamos.

"Os momentos ruins, assim como os bons, tendem a se agrupar."

– Edna O' Brien

86

Se hoje houver tempestade, vou lembrar que ela servirá para refrescar o ar que respiro.

As tempestades que desabam sobre nossas vidas nos beneficiam como os temporais que caem sobre nossas casas e cidades: limpam tudo, purificam o ar que respiramos e trazem à tona o mal que nos atormenta – pode ser o medo de assumir um cargo que exija muitas responsabilidades ou de resolver problemas com pessoas próximas. A possessividade é um tipo específico de tormenta que freqüentemente atrapalha nosso progresso.

As tempestades nos obrigam a reconhecer os obstáculos para, a partir daí, darmos os passos necessários para superá-los. O crescimento requer uma série de tempestades. Cada tormenta é um degrau que galgamos na escada da plenitude. A subida se torna mais árdua, mas isso nos fortalece. Com certeza atravessaremos com mais facilidade a próxima tempestade. E vale a pena esperar pela paz que virá depois.

"Só as mulheres cujos olhos foram bem lavados pelas lágrimas conseguem ter uma visão ampla que as transforma em grandes companheiras."

– Dorothy Dix

87

Posso escolher pensar nos outros e amá-los.
Hoje vou me esquecer um pouco de mim.

Na maior parte do tempo ficamos centrados em nós mesmos, imaginando se somos amados, em vez de simplesmente amar. Nesses dias, temos de "fazer de conta" que amamos as pessoas que cruzam o nosso caminho.

A dádiva inesperada é que começamos a sentir que amamos e somos amados. Viver fica mais fácil, assim como amar. "Fazer de conta" é uma boa forma de aprender a incorporar aqueles comportamentos que não nos parecem naturais. Com o tempo, eles vão se tornar espontâneos, e não será mais preciso brincar de faz-de-conta.

"Amar nos faz viver e, vivendo, amamos mais."

– Evelyn Mandel

88

Quando eu sentir sinais de insatisfação, vou buscar dentro de mim a alegria e o bem-estar, sabendo que a ordem divina está no comando.

Talvez seja da natureza humana nunca estar satisfeito e sempre pensar que tudo poderia ser melhor se fosse diferente. Mas, quando buscamos a plenitude dentro de nós mesmos, torna-se muito mais fácil aceitar o que a vida nos oferece.

Com freqüência ouvimos dizer que a felicidade está dentro de nós. Mas como isso pode fazer sentido em situações adversas? Como podemos ficar felizes quando perdemos o emprego que sustentava a família? Ou quando sentimos um medo profundo sem ter com quem dividi-lo nem saber para onde ir? "A felicidade está dentro de nós" não passa de um grande clichê nessas horas.

No entanto, nossa segurança, em qualquer situação, está mesmo dentro de nós: é lá que reside a força com a qual fomos abençoados, dada por um poder maior que nós. Mas precisamos aprender a recorrer a ela.

Para fazer essa viagem interior é preciso, em primeiro lugar, querer. Depois, serão necessárias a quietude e a paciência. E a paz virá. Encontraremos a serenidade em vez do sofrimento.

"Se estamos doentes, sem dinheiro ou infelizes, achamos que ficaremos satisfeitos quando as dificuldades passarem. Mas, no fundo, sabemos que isso é falso, pois, assim que deixamos de sofrer, passamos a querer alguma outra coisa."

– Simone Weil

89

Uma pequena mudança hoje – sorrir para a primeira pessoa que eu encontrar, meditar antes do jantar, fazer uma hora de exercícios – vai me ajudar a traçar um novo rumo. Vou incentivar um amigo a participar desse esforço e seguirei em frente.

Nosso comportamento diz muito sobre quem somos. Com freqüência, fazemos coisas que nos surpreendem ou nos deixam constrangidos. Às vezes ficamos profundamente envergonhados pela maneira como nos comportamos. Nossas atitudes nunca vão nos satisfazer completamente. Afinal de contas, todos nós temos defeitos.

Mas, se quisermos melhorar, o primeiro passo é decidir mudar. Pequenas atitudes podem ter um grande efeito em nossa vida. Podemos, por exemplo, dar uma caminhada todas as manhãs em vez de dormir mais meia hora; trocar um lanche fast-food por uma refeição mais saudável; deixar de assistir a uma bobagem na TV para nos dedicar a um antigo projeto.

Durante um longo tempo, muitos de nós tivemos medo de não ser capazes de mudar. Mas somos. E também podemos ajudar os outros a mudar.

"Uma pequena mudança de comportamento pode influenciar outras atitudes e assim transformar muitas coisas."

– Jean Baer

90

Hoje reverenciarei a vida. Vou buscar Deus em toda parte e vou começar a vê-Lo.

Reservar um tempo diariamente para reconhecer a força espiritual que existe à nossa volta nos encoraja a ser humildes e olhar o mundo com admiração e reverência. Refletir sobre os relacionamentos e sobre nossa necessidade de tudo e de todos ameniza qualquer sofrimento que possamos sentir ao nos debatermos contra nossa condição humana.

Nossa força espiritual torna-se maior a cada favor que fazemos. E, à medida que ela aumenta, as provações da vida diminuem. Nossa luta para aceitar as situações, os fatos e as pessoas, ou nossa luta para controlá-los, torna-se menor ao reconhecermos e respeitarmos as pessoas.

"O poder espiritual se revela na reverência que as pessoas têm pela vida – a sua e a dos outros, inclusive a das plantas e a dos animais –, no reconhecimento de uma força universal que muitos chamam de Deus."

– Virginia Satir

91

A solidão me leva a ter comportamentos que acabam intensificando a própria solidão. A real proximidade ocorrerá quando eu falar sobre mim mesmo, e não sobre outra pessoa.

A solidão e o isolamento aumentam nosso medo de inadequação. Quando nos afastamos muito dos outros, ficamos paranóicos. Desejamos ansiosamente entrar em contato com alguém e podemos usar a "fofoca" como um instrumento para nos aproximar de outras pessoas. Isso cria uma conexão.

Todos nós precisamos nos sentir parte de alguma tribo: do bairro, do trabalho, de determinado círculo de amizades. Essa sensação reconfortante gera segurança e bem-estar. Os medos desaparecem.

Abrir-nos com as pessoas a quem desejamos nos ligar fortalece os laços. Compartilhar nossas vulnerabilidades garante a aproximação. E a fofoca perde a graça quando sabemos que já estamos conectados.

Precisamos estar atentos às críticas que fazemos aos outros, sejam elas verbalizadas ou saboreadas em silêncio. Os julgamentos agem como um termômetro da nossa auto-imagem. A segurança de saber que pertencemos a um grupo, que estamos todos unidos, dispensa a necessidade de julgar os outros de maneira injusta.

"Isso é que é aprender. Você de repente compreende algo que a vida inteira soube, mas de outro jeito."

– Doris Lessing

92

Agir – mesmo quando tenho medo de estar errado – faz crescer. Sem crescimento, não há vida. Hoje vou viver.

Sentir-se incapaz de tomar uma atitude é humilhante e constrangedor – e pode se tornar um hábito. Talvez nossa inércia se deva à necessidade de agir "corretamente" e ao medo de errar. Infelizmente, esse temor se realimenta dele próprio, e a única forma de acabar com esse círculo vicioso é entrar em ação – errando ou acertando. O mais incrível é que nada do que fizermos será realmente errado. Vamos aprender não só com a ação como também com suas conseqüências.

A resposta que damos à vida com nossos atos vai nos gratificar, nos incentivar e nos deixar com menos medo da próxima vez que uma situação exigir uma atitude.

As oportunidades de entrar em ação são os degraus para a maturidade emocional. Quanto mais agimos, mais capazes somos de agir. E forma-se um novo hábito.

"Muitas pessoas não conseguem tomar uma atitude em momentos de grande ansiedade. Elas se sentem incapazes de agir de maneira eficaz ou até mesmo de agir."

– Stanlee Phelps e Nancy Austin

93

Não vou ter medo de nada que me pareça difícil. Posso enfrentar tudo o que surgir no meu caminho hoje. Minha força interior me valerá.

Inventamos problemas porque achamos que precisamos ser mais do que somos. Tememos não ser adequados para as tarefas que temos de realizar, receamos que outra pessoa seja mais atraente do que nós ou que os amigos possam ficar entediados na nossa presença. O medo nos atrapalha, nos impede de passar por experiências que podem nos ajudar a crescer.

Quando recuamos de uma situação para evitar um fracasso, escolhemos outro tipo de fracasso: deixamos de receber tudo o que poderíamos obter da vida, tudo o que poderíamos ser. Cada vivência aumenta nossa compreensão de nós mesmos. Quando recuamos, ficamos estagnados num mundo que deveríamos deixar para trás.

"Cheguei à conclusão de que toda a minha dificuldade de viver vem do medo e da limitação dentro de mim."

– Angela L. Wozniak

94

Juntos, somos como uma grande orquestra. O maestro lê a partitura e dirige os movimentos. Estar em sintonia com o maestro é bom. Chamo isso de felicidade. Só preciso fazer a minha parte.

Ah, a felicidade, esse estado que parece sempre tão próximo e tão distante. Imaginamos que ela virá sob a forma de um namorado, um trabalho mais interessante, uma roupa nova. Um dia, o namorado vai embora, o trabalho fica ruim, a roupa sai de moda. E a felicidade desaparece. Mas não precisa ser assim.

Devemos apostar na alegria de saber quem somos e como nossa vida se encaixa no grande desenho do Criador. Essa felicidade nunca nos escapará. Nós somos únicos e temos uma contribuição particular a oferecer às pessoas ao nosso redor. Ter consciência disso nos fará felizes.

Não podemos mais duvidar do nosso valor. Temos que celebrar nossos dons especiais e a beleza do mundo – apreciando a parte que fazemos e também a que os outros realizam.

"Todos nós queremos ser felizes. Nossas vidas são diferentes e, ao mesmo tempo, iguais."

– Anne Frank

95

Hoje vou me libertar. Vou resolver um pequeno problema e isso vai me abençoar.

Adiar é um hábito. E, provavelmente, lutamos contra ele há anos. Um hábito que nos corrói, sem dúvida. Quantas vezes nos deitamos à noite deprimidos, desanimados, irritados com nós mesmos por não termos terminado um trabalho como havíamos prometido?

Às vezes parece não haver esperança: as tarefas acumuladas aumentam e dão a impressão de ser intermináveis. O adiamento nos paralisa, causa letargia. Nossos sentidos parecem estar desligados, é como se tivéssemos dado um passo para fora do círculo da vida. Mas, se quisermos, podemos deixar de lado a preguiça e não ficar mais parados.

Temos somente o dia de hoje para assumir esse compromisso e entrar em ação. Podemos escolher uma tarefa qualquer para realizar agora, de preferência pequena. Escrever uma carta, fazer a bainha num vestido, marcar uma consulta no médico. Só a decisão de agir já nos liberta da prisão da inércia. A sensação de liberdade é imediata. Podemos agir agora. E qualquer ação nos libertará.

"Sem disciplina, não há vida."

– Katharine Hepburn

96

Vou levar alegria aonde quer que eu vá.
Vou oferecer a dádiva da felicidade
a todos que encontrar.

Para muitos de nós não é fácil ficar alegre. Brincamos de faz-de-conta e nos esforçamos para parecer felizes. No começo, talvez nem sejamos capazes de identificar a verdadeira alegria – que é viver totalmente o agora, agradecendo por tudo o que pode ser visto, tocado e sentido.

Demonstrar gratidão pela presença das pessoas mais próximas provoca uma agitação no peito que também será sentida por nossos amigos. A alegria é contagiante e libertadora. Ela põe em foco nossa visão distorcida. Saudar a vida com alegria revoluciona nossas experiências e as daqueles com quem as compartilhamos.

"Se as pessoas conhecessem o poder curativo do riso e da alegria, muitos de nossos melhores médicos estariam sem pacientes. A alegria é um dos maiores remédios da natureza. A alegria é sempre saudável. Uma atitude mental positiva costuma fazer com que condições anormais voltem ao normal."

– Catherine Ponder

97

Vou procurar saber quais são meus sonhos secretos.
Neles estão meus talentos. Vou aprimorá-los.
A ajuda virá.

Nem sempre é fácil acreditar nisso, mas temos uma contribuição única a dar ao mundo. Cada pessoa tem um talento levemente diferente dos de outras. E todos os talentos são necessários. Todos nós somos necessários.

A criatividade – escrever, fotografar, cozinhar, cuidar de crianças, costurar, administrar, entalhar madeira – alimenta o eu interior que se sente isolado e inútil. E, à medida que o eu é cultivado, ele cresce e se fortalece.

Crescer significa mudar nosso estilo de vida. Significa aproximar-se dos outros e ficar à disposição deles. Nossos talentos são as dádivas que o mundo espera de nós. Será que conhecemos nossos dons?

"Todos nós temos talentos e dons especiais. Nenhum obstáculo – seja físico, mental ou psicológico – é capaz de destruir nossas energias criativas inatas."

– LIANE CORDES

98

Os problemas de hoje precisam de respostas novas. Vou ter coragem. O dia de hoje é a continuação de ontem, de anteontem, e assim por diante. O amanhã virá em seguida.

O hoje é a continuação de ontem, de anteontem, de meses passados, anos vividos. O amanhã vai seguir o mesmo padrão. O que recebemos em qualquer dia da vida teve seu começo no passado e terá seu final no futuro. Nenhum incidente é isolado; nenhuma questão é desconectada do todo.

Ter maturidade é ser capaz de abandonar atitudes ultrapassadas e opiniões tacanhas, por mais corretas que elas tenham sido em outra época. Nosso ego costuma se prender demais a determinadas convicções, resistindo a novas idéias. As opiniões que considerávamos certas ontem podem não se aplicar aos problemas de hoje. Não é preciso. Elas já nos serviram bem e tiveram uma razão de ser.

Novas idéias vão chamar nossa atenção hoje. Estamos prontos para crescer e mudar. Cabe a nós decidir bloqueá-las ou não.

"Por muitos anos, fui tão maleável que não sabia quem eu era. Agora que estou descobrindo quem sou, penso: 'Certo, sei o que acho disso. Vamos à próxima questão.' Mas preciso lembrar a mim mesma que tudo está relacionado, nenhum problema é isolado."

– Kathleen Casey Theisen

99

A dor do amor aumenta meu enlevo.

Vivemos na companhia dos outros. Crescemos desejando essa companhia num nível mais profundo. O desejo recíproco abre caminho para um relacionamento de amor, que é, ao mesmo tempo, abençoado e prejudicado pela intimidade.

É humano desejar o amor, querer distribuí-lo e recebê-lo. Mas a dor de esperar por ele não se compara ao sofrimento de sua chegada. O amor aumenta nossa sensibilidade. Qualquer separação ou discordância, física ou psicológica, fere profundamente os dois parceiros. A dor de não ter algo é menor do que a dor de vir a perdê-lo depois de finalmente consegui-lo.

Sempre fantasiamos que o amor só traz felicidade. Mas, ao desnudar nossa alma e nos expor, o amor gera um enorme medo da rejeição, de que seremos descartados quando os outros conhecerem "nosso verdadeiro eu".

Conviver com a dor do amor aprofunda nossa humanidade, eleva nossa consciência e aumenta o entusiasmo que temos pela vida.

"A dor do amor é a dor de estar vivo. É uma ferida eterna."

– Maureen Duffy

100

Com um pouco de esforço, vou sorrir para alguém hoje, embora esteja mal-humorado. Nós dois vamos melhorar com o meu sorriso.

Todo mundo conhece esta verdade universal: tudo o que vai, volta. Em tempos difíceis, no entanto, nos esquecemos desse efeito bumerangue. Achamos que nosso ressentimento é justificável e passamos a falar mal dos outros ou a ignorá-los. Raramente as conseqüências são imediatas, mas um dia elas virão. Isso é certo.

Por outro lado, a bondade é retribuída com bondade. Dar amor, atenção e respeito às pessoas próximas e àquelas que casualmente cruzam o nosso caminho ameniza nossa jornada dia a dia.

Os efeitos de nossa bondade logo serão sentidos. Sorriso atrai sorriso. Bons pensamentos abençoam a nós e aqueles que os recebem. Tudo o que fazemos volta para nós.

"Só recebemos o que damos. A vida é uma espécie de bumerangue. Mais cedo ou mais tarde, nossos pensamentos, atos e palavras voltam para nós com incrível precisão."

– Florence Scovel Shinn

101

Vou rezar pedindo sabedoria para escolher conselheiros sensatos e força para amar e curar a mim mesmo.

Se ouvirmos a voz de nosso espírito, saberemos que temos o poder de nos curar. A cura começa quando tomamos nossas próprias decisões – sobre o que vestir, o que fazer, o que pensar, o que ser – e resolvemos ser fiéis a nós mesmos.

Com a ajuda de nosso guia espiritual, podemos resistir à tentação de nos trairmos, que vem do medo de não sermos bons o suficiente para resolver os próprios problemas. Depreciar nossos poderes só gera constrangimento e sofrimento. Mas podemos pedir ajuda aos outros sem perder nossa força.

"Quando tomamos a liberdade de ser os 'curadores' do nosso corpo e da nossa alma, escapamos da escravidão e do sofrimento."

– Elizabeth Cady Stanton

102

Meus relacionamentos são baseados na dependência ou no amor? Hoje vou fazer essa avaliação.

Precisar dos outros é saudável, humano e natural. Querer ter uma pessoa para amar profundamente também faz bem para a alma. Mas amor e dependência não são sinônimos. São quase opostos. Se nos "amarramos" aos outros, nossos movimentos como indivíduos ficam prejudicados. É uma espécie de vício: nossos passos acabam sendo controlados pela pessoa a quem estamos presos.

A incapacidade de administrar a própria vida leva à dependência, que pode ser de remédios, de comida ou afetiva. Muitas pessoas que passam por programas de recuperação, mesmo quando conseguem superar o vício, continuam lutando contra a relação de dependência com um parente ou amigo.

Estamos em busca da independência saudável: a de fazer escolhas apropriadas para as nossas vidas. Amar outra pessoa significa deixá-la fazer suas próprias escolhas, livre da submissão.

"Se você se prende a uma pessoa, acaba tendo um relacionamento pouco saudável."

– Shirley MacLaine

103

Todos os dias tenho chance de acalmar a minha mente. E as mensagens que preciso ouvir virão naturalmente. As respostas estão dentro de mim.

Sempre damos um jeito de complicar a vida com nossas preocupações e obsessões: "E se tal coisa acontecer?", "Será que ele vai fazer isso?", "Será que devo agir assim?", "O que você acha?". Pensamos o tempo todo em como enfrentar os desafios até que um dia alguém nos lembra de que é preciso "simplificar a vida".

A solução de qualquer problema surge quando paramos de procurá-la. Só temos clareza sobre o que devemos fazer para superar uma dificuldade quando removemos as barreiras.

O maior obstáculo a vencer é o nosso esforço desmedido para resolver tudo sozinhos. Ficamos confusos, rezamos, pedimos uma solução. Mas não permanecemos tranqüilos pelo tempo necessário para saber que passos devemos dar.

Cada problema contém sua própria solução. A maior lição que podemos aprender é simplificar a vida. Não há dificuldade que não possa ser resolvida por uma mente calma e esperançosa.

"Minha filosofia é simples: encher o que está vazio, esvaziar o que está cheio. E coçar onde estiver coçando."

– Alice Roosevelt Longworth

104

Quando eu menos esperar, será mais fácil fazer um amigo, pedir aumento de salário, resolver um atrito com meu marido ou com minha esposa. Hoje, meu maior esforço será olhar para a frente – não para trás – com esperança.

Somos responsáveis pelo esforço para mudar uma situação ruim, mas não pelo resultado. Com freqüência nos sentimos sobrecarregados por causa de um problema específico ou de vários acumulados. Ficamos atordoados e nos sentimos incapazes de lidar com as circunstâncias. Achamos que não fizemos progresso algum, principalmente quando estamos deixando para trás antigos vícios. Mas a cada dia que escolhemos o bom senso e a moderação melhoramos nossa saúde mental.

Talvez tenhamos nos sentido fortes e seguros ontem ou na semana passada. Amanhã também nos sentiremos assim. Quando menos esperamos, nossos esforços são recompensados – às vezes de forma sutil, às vezes abertamente. E uma boa risada é um indicativo de nossa saúde mental. Ninguém chega a ser totalmente são, pois o ser humano vive com dúvidas e medos. Mas, à medida que nossa fé aumenta, nossos medos diminuem – e os dias felizes passam a ser cada vez mais freqüentes em nossas vidas.

"Os milagres acontecem de repente, não podem ser forçados. Vêm quando querem – geralmente em momentos improváveis e para quem menos os espera."

– Katherine Anne Porter

105

Posso ter vontade de sentir pena de mim mesmo, mas aprendi a agir de outra forma.

A autopiedade se alimenta de si mesma e, quando ela se instala, é difícil mudar nosso comportamento. Nossa tendência é sentir pena de nós mesmos, mas isso contraria o equilíbrio natural da vida. Todos nós vamos enfrentar tempos bons e ruins – e eles passarão. Com certeza.

Não aceitar os fatos e fazer perguntas do tipo "Por que isso foi acontecer justo comigo?" demonstram a falta de compaixão que normalmente sentimos diante do sofrimento dos outros. Nossa empatia com as pessoas que nos cercam, até mesmo nossa consciência do sofrimento delas, costuma ser mínima. Estamos sempre tão envolvidos com a nossa própria dor que não enxergamos a dos outros.

Se fôssemos menos egoístas, veríamos que todos temos alegrias e tristezas em nossas vidas, em igual medida. Algumas pessoas reagem às bênçãos com serenidade e tiram calmamente o espinho das tragédias. Podemos aprender a fazer o mesmo.

Em busca da felicidade, devemos aprender a nos comportar de maneira mais saudável. Não precisamos cair na armadilha da autopiedade. Podemos sentir que ela está vindo. E deixá-la partir.

"Quanto mais vivo, mais me convenço de que as bênçãos da vida não são distribuídas tão injustamente como acreditamos quando estamos passando por um grande sofrimento."

– Mary Todd Lincoln

106

Quando meu comportamento me deixar constrangido ou envergonhado, vou aceitar a responsabilidade de mudar. Transformar-se traz recompensas imediatas. As pessoas ao meu redor vão reagir de forma acolhedora e eu me sentirei mais vivo.

Nossas vidas estão num processo constante de transformação. À medida que assimilamos novas informações mudamos nosso comportamento. Mas não é fácil deixar de lado hábitos arraigados. Eles são como sapatos velhos: podem estar gastos e há ocasiões em que nos causam constrangimento, mas os calçamos sem perceber. E, quando nos damos conta, já é tarde.

Durante muito tempo, reagimos às situações como adolescentes, porque nosso desenvolvimento emocional estava, de certa forma, estagnado. Agora, visando alcançar a maturidade, vamos precisar fazer de conta que somos capazes, fortes, seguros e calmos. Colocar essa técnica em prática vai resultar tanto em novas atitudes da nossa parte quanto em reações positivas dos outros. Com o tempo, abriremos caminhos para que esses comportamentos se tornem autênticos. Se acreditarmos na nossa capacidade de ser a pessoa que queremos, poderemos seguir em frente com segurança.

"Até chegarmos à maturidade espiritual, passaremos por muitas fases adolescentes."

– Miki L. Bowen

107

Minha saúde emocional depende do meu empenho em decidir quem eu sou, neste exato momento. Optar por rir em vez de reclamar vai me dar um inesperado ânimo.

O riso pode curar um problema físico e ter uma influência positiva em nossa saúde psicológica. Ele cria uma perspectiva inesperada, que abre portas para uma nova atitude. E nosso comportamento diante de cada situação e cada pessoa tem uma enorme força em nossas vidas.

Ser crítico e negativo em relação à nossa condição financeira, a uma doença, ao chefe, ao marido ou aos filhos determina como nos sentimos a cada momento. Quando paramos de nos lastimar e olhamos o mundo com leveza no coração, esperando desfrutar o dia, as pessoas e as atividades, temos muito mais chances de ser bem-sucedidos.

Enxergar com humor qualquer situação evita sentimentos de impotência. Pode até ser mais fácil se comportar como vítima, mas agir de forma bem-humorada, rindo da nossa própria condição, faz com que nosso poder pessoal fique onde deve estar: conosco.

"O humor é uma arma muito potente, uma resposta poderosa. As pessoas têm que fazer piadas sobre elas mesmas, rir delas mesmas, porque não têm nada a perder."

– Agnès Varda

108

No jogo da vida, divido a quadra com os outros, mas sei que chegará a minha vez de dar o saque. Para viver de verdade, tenho que entrar totalmente no jogo.

Todo instante é especial e nos oferece uma oportunidade de deixar que uma experiência nos transforme, de convidar alguém para fazer parte de nossa vida e de nos ajudar a crescer e mudar. Muitas vezes a vida passa tão depressa que não conseguimos aproveitá-la. Mas cada dia está pleno de pequenas dádivas concedidas por Deus para o nosso bem-estar.

A mulher para quem você sorriu ontem no supermercado ou o homem que você cumprimentou no ônibus na semana passada se sentiram especiais. E nós também fomos tocados por esses pequenos gestos.

Mudamos e transformamos nosso mundo quando admitimos a presença das pessoas. A maravilhosa verdade é que fazemos parte do mundo dos outros porque temos qualidades especiais e somos capazes de compartilhá-las com quem está ao redor.

Em tempos passados, nós não conseguíamos enxergar o valor de cada momento. Os dias eram longos e dolorosos. Agora, podemos até agradecer pela dor sentida, por ela ter nos ensinado tanto. Estamos cheios de esperança e somos gratos por toda experiência que temos e todas as pessoas que encontramos.

"As pessoas não reconhecem os momentos realmente importantes de suas vidas – a não ser quando já é tarde demais."

– Agatha Christie

109

O amor é poderoso, capaz de tranformar o mundo.
Ele vai mudar o rumo da minha vida.

Amar une as pessoas, acabando com a distância que possa existir entre elas. O amor nos faz conhecer o universo do outro, enriquecendo o mundo que chamamos de nosso. E nos coloca todos no mesmo barco.

Não precisamos conquistar ou dominar quem amamos. Por outro lado, o amor que sentimos por uma pessoa aumenta nossa capacidade de amar. Dar e receber amor têm o poder de curar – os outros e a nós mesmos.

Ser amado valida nossa existência, nos assegura que somos importantes. Todos nós, vez por outra, precisamos nos lembrar do nosso valor, mas essa necessidade diminui à medida que abrimos nosso coração para novas pessoas.

Quando não há amor, as pessoas se sentem sozinhas, esquecidas, sem importância, mesmo que estejam no meio da multidão. Todos nós já vivemos situações de silencioso desespero – momentos de alienação. Por isso, sabemos como é importante demonstrar nosso amor por alguém que está se sentindo desvalorizado. Nossos pensamentos afetuosos sempre chegam aos outros, estejam eles perto ou distante. E têm o poder de nos unir.

"Ouvi a voz da minha alma e me lembrei de que o amor é a fibra que tece a existência."

– Mary Casey

110

Seja qual for a situação com que eu me deparar hoje, vou acreditar que ela é boa para mim. Ela pode servir para aumentar a minha paciência, em vez de me fazer rir, mas é perfeita neste momento.

Todo momento vivido é como um botão de flor desabrochando. O dia se abre e a cada minuto nos encaminhamos para as experiências adequadas para nós, neste dia e nesta hora. Nossa resistência a determinadas vivências e pessoas impede que recebamos o bem que nos está reservado.

Podemos ter certeza de que nosso poder superior está cuidando de nós. Nossa vida é uma soma de experiências necessárias ao crescimento e ao desenvolvimento de nossos talentos especiais. Costumamos esquecer que as fases difíceis têm várias finalidades: servem para nos fortalecer, iluminar e preparar para nos tornarmos a pessoa que queremos ser.

Este instante é sagrado; todos os momentos são sagrados. O que é oferecido agora para nos ajudar a crescer não será oferecido outra vez exatamente do mesmo jeito. Nosso poder superior sabe do que precisamos e está cuidando disso. Podemos confiar no bem que receberemos hoje.

"Acredito no 'Sacramento do Momento', que manda confiar na suprema bondade de meu Criador."

– Ruth Casey

111

As lições da vida são simples uma vez que desisto da luta.

Tivemos que nos render a um poder maior do que nós para chegar até onde estamos hoje. Todos os dias precisamos nos voltar para a força e a orientação desse poder. Resistência significa lutar – contra os outros ou internamente. E a nossa meta – serenidade – é incompatível com esses conflitos.

Quando optamos por não controlar a vida, encontramos paz e serenidade. Algumas coisas não estão mesmo ao nosso alcance: as atitudes de nossos familiares, amigos ou colegas de trabalho, as decisões que as pessoas tomam para suas vidas e todas as forças externas a nós. Só podemos controlar a forma como reagimos às situações.

Se prestarmos bem atenção, veremos que tudo o que tememos ou de que não gostamos desaparece quando paramos de resistir. E conquistamos nossos desejos ao não nos agarrarmos a eles. As verdades da vida chegam por caminhos misteriosos. Batalhamos exaustivamente até aprender que só conseguimos o que queremos quando desistimos da luta. Render-se traz iluminação.

"Aos 15 anos, a vida tinha me ensinado que se render na hora certa era tão honrado quanto resistir – principalmente quando não há outra escolha."

– Maya Angelou

112

Minha relação com os outros é tão saudável e plena quanto minha comunicação com Deus.

Sentir raiva de um amigo, resistir às sugestões de alguém, invejar qualidades ou atributos de outra pessoa são fortes indicadores da nossa saúde espiritual.

São sentimentos compreensíveis: nosso eu interior pode estar precisando de carinho e respeito. Muitas vezes negligenciamos a nós mesmos, nos repreendemos e sentimos vergonha de nossos comportamentos. Aprender a amar nosso eu interior e reconhecer o valor da vida exige esforço, determinação e paciência.

Nossa segurança está em Deus. Nosso eu interior é o lar do nosso espírito, onde reside toda a serenidade, a força, a coragem e a auto-estima. Nosso espírito está unido ao nosso poder superior. Devemos reconhecer essa presença e aproveitar o conforto que nos é oferecido.

"Meu relacionamento comigo mesma influencia minha relação com os outros. Minha alegria interior e a satisfação que tenho com os outros são diretamente proporcionais."

– Sue Atchley Ebaugh

113

Só preciso fazer a escolha certa. Sempre que pedir orientação, saberei como agir.

Quando decidimos participar ativamente de nossa vida, atraímos alegria e, às vezes, medo. Nosso envolvimento consciente nos dá energia. E fazer escolhas pensadas, visando ao crescimento, aumenta nosso bem-estar. Mas eventualmente podemos temer o fracasso – ou mesmo o sucesso.

Não é todo dia que queremos ser responsáveis por nossa vida, mas precisamos ser. De vez em quando, só queremos um colo carinhoso. Se por um lado não devemos transferir nossas responsabilidades, por outro é ótimo poder contar com o apoio de alguém próximo, que se preocupe com a nossa segurança e que nos ajude a enfrentar dificuldades e cumprir obrigações.

Em nossa busca por crescimento, escolhemos agir com responsabilidade. E não há dúvida de que sempre que pedirmos orientação para realizar bem nossas tarefas seremos ajudados a fazer o nosso melhor.

"Tenho uma escolha clara entre vida e morte, realidade e fantasia, saúde e doença. Preciso me tornar responsável – tanto por meus erros quanto por meus acertos."

– Eileen Mayhew

114

Vou enxergar cada momento com olhos de criança. Encontrarei alegria e satisfação.

Para viver plenamente e de forma criativa, para dar nossa contribuição única, precisamos estar abertos às conseqüências do momento presente. Antecipar o que pode vir a acontecer é prejudicial à nossa mente e ao nosso nível de consciência.

As idéias preconcebidas anuviam nossos sentidos, impedem que a situação atual se realize. Embaçam a magia e a intensidade de cada momento. E é só no *agora*, sentido em cada momento, que encontramos as pistas para percorrer o caminho escolhido para nós.

A vida pode ser muito mais gratificante quando deixamos cada dia, cada desejo, aos cuidados de Deus. E nossa contribuição também será maior assim. Precisamos estar em plena sintonia com o momento presente para nos entregarmos a ele por inteiro. Nossa parceria com Deus é agora, à medida que vivemos este instante.

"Queremos que os fatos se encaixem nos nossos planos. Quando isso não acontece, achamos mais fácil ignorar os fatos do que mudar o plano."

– Jessamyn West

115

Vou ajudar um amigo que precise de apoio e assim ajudar a mim mesmo. Um espírito com a chama firme pode reanimar um com a chama fraca.

Nossa natureza espiritual deve ser alimentada sempre, seja pela oração, seja pela meditação – dois poderosos guias da alma. Como somos humanos, muitas vezes deixamos nossa chama diminuir e até se apagar. E então sentimos a temida solidão. Mas poucos instantes de tranqüilidade, em comunhão com Deus, são suficientes para reacendê-la.

Podemos ouvir a voz do nosso poder superior nos outros. E também podemos escutá-la ao transmitir uma mensagem a alguém. A prece está conosco em todos os momentos. Podemos alimentar nossa chama interior com as mensagens que recebemos e deixar nosso espírito aquecer nosso coração e o dos outros.

"Para a lamparina continuar acesa, precisamos colocar azeite nela."

– Madre Teresa de Calcutá

116

Quando eu encontrar um amigo hoje,
serei grato pela contribuição que ele dá
para a plenitude da minha vida.

O Criador só nos pede que amemos uns aos outros. E quanto mais amamos uma pessoa, não importa quem ela seja, mais profundo se torna nosso amor por todas as outras. Amar eleva nosso coração e alivia nossa carga.

Quando há amor, os problemas cotidianos podem ser encarados de forma positiva, possibilitando vitórias futuras. Mas, mesmo quando não há, sempre é possível evitar magoar os outros. Se cada pessoa fizesse essa opção por um dia que fosse, muitas vidas seriam transformadas. E veríamos o mundo de uma nova perspectiva.

O amor nos preenche e, quanto mais o compartilhamos, mais completos nos tornamos. Estamos ligados uns aos outros e nossa contribuição para o todo é fundamental – ele se completa com a nossa presença.

"A beleza de amar é a sensação de 'plenitude' que experimento. É a necessidade de ter esse indivíduo na minha vida, o sentimento de 'ser parte de você e você de mim' que liga duas pessoas e faz com que uma seja necessária à outra."

– Kathleen Andrus

117

A harmonia está em toda parte. Vou festejar isso.
Confiarei no presente. E no futuro.

A harmonia está em toda parte. São nossas atitudes que podem gerar desarmonia. Do mesmo modo, um ato de amor pode abençoar as pessoas e as circunstâncias.

Todos nós desejamos ter relacionamentos harmoniosos e, se agirmos com amor, respeito e gratidão, conseguiremos. O modo como nos sentimos hoje em relação a uma pessoa ou situação é reflexo da nossa ligação com Deus. Quando vivemos na companhia do nosso poder superior, deixamos a vida seguir seu curso. Sentimos paz até na diferença.

Todos os elementos da vida movem-se em direção a uma total e perfeita sintonia. Não precisamos ter medo. Devemos confiar no poder superior e entender que cada situação, por mais adversa que pareça, está contribuindo para um final harmonioso.

"A harmonia está tanto na diferença quanto na igualdade, basta que o mesmo princípio governe as duas partes."

– Margaret Fuller

118

Cada demonstração de amor que eu der vai facilitar meu próximo passo na vida.

Ser amado de forma incondicional é nosso direito, e é assim que somos amados por Deus. Desejamos que os outros também nos amem desse jeito. E merecemos esse amor. Mas é uma característica humana querer sempre receber antes de dar. Por isso, vivemos em busca de provas de amor.

A maioria das pessoas vive procurando amor em vez de simplesmente amar. O amor verdadeiro significa deixar de lado todas as expectativas. É uma aceitação total, quase uma celebração da personalidade do outro. Não é fácil, mas é extremamente gratificante tanto para nós como para a pessoa amada.

O amor é um bálsamo que cura. Ele alivia qualquer carga, faz com que nossa alegria interior venha à tona e, acima de tudo, nos conecta aos outros fazendo com que eles também se liguem a nós. Então a solidão desaparece.

O amor é o pilar que sustenta a estrutura humana. Sem ele, a construção desmorona. Se tivermos um plano para amar os outros e a nós mesmos, com toda a certeza o amor estará presente em nossas vidas.

"Tudo o que é preciso fazer para tornar o mundo um lugar melhor para se viver é amar – como Cristo amou, como Buda amou."

– Isadora Duncan

119

A alternância de calmaria e tempestade não é um mero acaso. Muito pelo contrário. Meu crescimento está no centro de ambos. Vou confiar na mensagem que os bons e os maus tempos têm a me oferecer.

A diversidade de experiências é essencial para o nosso crescimento. É um engano achar que seríamos felizes para sempre se tivéssemos uma vida sem problemas. São as grandes ondas que nos ensinam a nadar melhor.

Não saberíamos apreciar a calmaria sem uma tempestade de vez em quando para nos levar a conhecer nossos limites. Estamos sempre mudando, refinando nossos valores, pisando com cautela em territórios inexplorados. E esperamos com ansiedade pelo próximo desafio, mesmo quando estamos no meio da calmaria que nos abençoa.

Em nossa busca de crescimento nunca estamos sozinhos: nosso eu interior compreende a grandeza da nossa jornada, que será marcada por inúmeras turbulências mas nos abrirá novos horizontes. Para chegar ao nosso destino, precisaremos enfrentar os desafios que vão nos ajudar a nos tornar o que temos de ser nesta vida. A calmaria nos oferece o tempo necessário para nos acostumarmos ao crescimento.

"Eles enjoam da calmaria, aqueles que conhecem as tempestades."

– Dorothy Parker

120

Minha imaginação será muito útil hoje. Vai me dar as idéias e a coragem de que preciso para seguir em frente.

A imaginação traz as mensagens de Deus para nós. A inspiração e os sonhos nascem aí e dão origem às metas que nos impulsionam e nos estimulam a honrar nossa vida, dando uma contribuição ao mundo diferente das de outras pessoas.

A imaginação oferece idéias para o nosso desenvolvimento. E nos encoraja a tomar medidas específicas para nossa época, nosso lugar e nossos talentos. Podemos prestar atenção nessa "voz interior" especial e deixar que ela oriente nossas decisões; podemos confiar em seus avisos. Ela veio para nos servir, só depende de nós querermos "ouvi-la".

A imaginação nos dá ainda outra ferramenta: a crença em nós mesmos. Ao acreditar em nosso potencial, adquirimos força e capacidade muito maiores do que poderíamos esperar. Essa confiança nos prepara para os esforços que teremos de fazer e para lidar com o que Deus tiver nos reservado.

"A imaginação tem poderes de renovação que nenhuma ciência consegue igualar."

– Ingrid Bengis

121

Quando eu for sincero, serei recompensado.

Criamos defesas porque sentimos necessidade de nos proteger dos outros – dos nossos pais, chefes, cônjuges ou mesmo de estranhos. Em determinadas situações, nossas defesas até nos servem, mas só por algum tempo. Esconder-se atrás delas com freqüência faz disso um hábito e nos deixa cada vez mais longe do nosso centro e da pessoa que queremos ser.

É arriscado expor quem realmente somos, porque podemos ser julgados, rejeitados ou depreciados. E as recompensas raramente são imediatas. Porém, com o tempo, as pessoas passam a respeitar a nossa vulnerabilidade e até se abrem mais, imitando nosso exemplo.

Deixar que os outros vejam nosso verdadeiro eu facilita a nossa vida e a deles. Não precisamos mais decidir quem deveríamos ser; simplesmente somos quem somos. As escolhas ficam mais simples, pois só há uma opção: aquela que reflete com honestidade quem somos naquele momento.

"Com freqüência, quando fazemos questão de demonstrar que somos fortes e durões, estamos com medo. É preciso ter muita coragem para se permitir ser vulnerável ou fraco."

– DUDLEY MARTINEAU

122

Vou rezar pedindo sabedoria. Vou esperar por ela, e não por problemas, e o dia vai ser tranqüilo.

Será que devo telefonar para uma amiga e pedir desculpas ou esperar que ela ligue? Será que estou educando bem as crianças? Será que meu chefe gostou do projeto que apresentei? Complicamos a vida à toa e, nesses momentos de dúvida, justamente quando mais precisamos, não nos lembramos daquela decisão de "acreditar num poder maior do que nós".

Nossa necessidade de fazer tudo perfeito, de saber todas as respostas, de controlar tudo ao nosso redor cria problemas onde eles não existem. Quanto mais pensamos no dilema criado por nós, maior ele fica.

Se relaxarmos, a tensão diminui. Pense bem: que preocupação da semana passada ainda tira seu sono? Então esqueça agora o problema que o atormenta e ele também ficará para trás. Vamos aprender a aceitar o que não podemos mudar e a mudar o que podemos... com a prática.

"Todos os dias a vida traz novos problemas que nos obrigam a adaptar nossos velhos programas."

– Ann Faraday

123

Posso aceitar a vida como ela é e confiar que está bom assim. O panorama geral me garante uma alegria duradoura. As experiências de hoje vão me aproximar da felicidade.

Nós temos certeza de que sabemos o que é melhor para nós. E concluímos que certas realizações vão nos garantir a felicidade. Talvez devêssemos pensar em todas as ocasiões em que nossos desejos não se realizaram – felizmente. Será que algum de nós esperava fazer o que está fazendo hoje?

Podemos ter sonhado com filhos, um tipo de casa, uma determinada profissão, mas será que previmos tudo, absolutamente tudo o que a vida nos trouxe? A felicidade que sentimos hoje certamente não é aquela que imaginávamos há alguns anos. Porém, está de acordo com as nossas necessidades. A escolha de ser feliz com o que temos só depende de nós. A cada momento.

"Nem sempre a vida é o que queremos, mas a única forma de sermos felizes é fazer o melhor com o que ela nos dá."

– Jennie Jerome Churchill

124

Vou tomar uma atitude ao enfrentar qualquer problema: vou buscar o apoio de Deus. Cada crise é um convite à serenidade.

Enfatizar o aspecto negativo da vida é um comportamento comum. Mas podemos deixar de lado essa obsessão a qualquer momento. Basta entregar nas mãos de Deus o que não conseguimos controlar. Assim, ficaremos livres para procurar outras possibilidades de ser feliz.

Devemos aprender a aceitar uma situação difícil como uma forma especial de crescimento e, mais ainda, como uma oportunidade de deixar Deus atuar em nossa vida. Quanto mais forte a parceria com nosso poder superior, menos freqüentes e importantes se tornam as crises que enfrentamos. Quando adquirimos confiança nesse poder, passamos a nos sentir bem em qualquer situação.

A serenidade é o presente que recebemos quando deixamos Deus cuidar de nossas vidas. Não precisamos nos preocupar com nada. A solução está apenas a uma prece de distância.

"Ter uma crise e enfrentá-la é uma coisa. Viver numa eterna crise é outra coisa."

– Barbara Grizzuti Harrison

125

Posso saber quem sou pelos meus relacionamentos. Essa pode ser a solução para os meus problemas.

Os problemas que enfrentamos contêm dentro deles as soluções mais adequadas. E cada um de nós deve descobrir essas soluções, compreendê-las e incorporá-las ao conjunto de informações que define quem somos e quem estamos nos tornando.

Aprendemos com a experiência, pois só assim nossa realidade é afetada de modo significativo. As vivências dos outros nos ajudam a crescer e mostram como as dores de todos os seres humanos são parecidas, mas cada pessoa deve fazer suas próprias escolhas e ser responsável por seus atos.

Não precisamos continuar agindo como vítimas. Somos capazes de tomar decisões saudáveis sobre nossos relacionamentos, sobre como usar nosso tempo e com quem. Por outro lado, ao interagir com as pessoas que escolhemos, podemos descobrir facetas ocultas da nossa personalidade e desenvolver nossas qualidades especiais, que nos diferenciam dos outros. Quanto mais nos envolvemos sinceramente em nossas relações, maior nosso crescimento pessoal.

"Mesmo se o conhecimento que temos dos relacionamentos humanos fosse cem vezes mais confiável do que é, seria bobagem procurar no sumário de um livro soluções prontas para os problemas da vida."

– Mirra Komarovsky

126

Nosso comportamento quase sempre é racional e entra em conflito com o coração. Vou me esforçar para ser coerente. Vou deixar meu coração me orientar. Não só enxergarei o que os outros têm de bom como também imitarei suas qualidades.

Quando saímos em busca de aspectos positivos nos acontecimentos, nas experiências e nas pessoas, em geral encontramos exatamente o que esperávamos. O poder da atitude é impressionante – infelizmente, ela quase sempre imobiliza; pouquíssimas vezes é positiva.

Cada um de nós cria o ambiente pessoal que sua alma chama de lar. Isso significa que a qualquer momento temos o poder de mudar nossa perspectiva da vida, nossa resposta a determinada experiência e, acima de tudo, nossos sentimentos em relação a nós mesmos. Assim como encontramos coisas boas nos outros quando decidimos procurar, podemos descobrir virtudes em nós mesmos.

Todos nós queremos ser felizes, mas precisamos nos conscientizar de que somos responsáveis por criar essa alegria. Podemos esquecer o passado e suas tristezas e deixar o futuro nas mãos do poder superior. O presente é único pela importância que tem em nossa vida, agora.

"Gosto dos meus amigos pelo que eles têm no coração e não pela forma como fazem as coisas."

– Sandra K. Lamberson

127

As lágrimas alimentam meu eu interior. Diminuem a ligação com meu antigo jeito de ser e minha resistência ao crescimento.

Expressar-se é libertador; fechar-se em si mesmo é debilitante. Crescemos espiritualmente cada vez que revelamos nossos sentimentos e compartilhamos nossos segredos. As lágrimas que acompanham um desabafo, uma confissão ou a frustração de estar preso numa situação podem remover os obstáculos que colocamos em nosso caminho.

Em cada fase da vida, estamos nos preparando para a próxima. Nosso modelo de crescimento pode variar, indicando primeiro uma direção, depois outra. Não é fácil mudar de rumo, mas é necessário. Quando aceitamos a orientação espiritual oferecida pelos outros e encontrada dentro de nós, a transição de um estágio para outro acontece com tranqüilidade.

As lágrimas têm um papel importante nesses momentos de mudança. Elas transformam a rocha que bloqueia nossa passagem em pequenos seixos e tiram as vendas que cobrem nossos olhos. Podem nos ajudar a enxergar as coisas de uma nova perspectiva se estivermos dispostos a olhar para a frente – com clareza, abertura e esperança de ver uma paisagem melhor.

"As lágrimas são como a chuva. Elas afofam o solo para podermos crescer em várias direções."

– Virginia Casey

128

Vou seguindo em frente, mudando e crescendo no ritmo certo. Posso confiar no processo. O que for bom para mim virá. A alegria de me transformar vai me aquecer.

As portas do passado devem estar bem fechadas antes de nos aventurarmos por novos caminhos. Em busca de novas experiências, precisamos deixar para trás pessoas, lugares e lembranças. Mas nada acontece em vão. Todas as nossas vivências fazem parte da mesma trama, cada uma contribuindo para os fatos que exigem nossa atenção agora.

Cada dia, cada experiência, cada aprendizado nos fazem avançar no caminho do crescimento pessoal. E todos nós seguimos uma trilha particular, especial, única. Não precisamos ter inveja das experiências dos outros.

A vida está se abrindo para nós. A dor do presente pode ser necessária para o prazer do amanhã. Precisamos aceitar o desenrolar dos fatos. Nosso eu interior tem uma meta: as vivências passadas devem ficar para trás e as experiências à mão vão nos levar hoje ao nosso destino.

"Guarde as boas lembranças, mas viva o dia de hoje."

– Jodi K. Elliott

129

Hoje vou sonhar. O sonho indicará
o caminho que devo seguir.

Há tanta coisa a fazer antes de morrer... Cada um de nós recebeu inúmeros dons, semelhantes em determinados aspectos mas únicos na forma como iremos usá-los. Será que temos consciência desses talentos? Só precisamos ousar sonhar – e lá estão eles.

É muito fácil cair na armadilha da autopiedade, pensar que a vida não tem sentido, ter medo de não chegar a lugar nenhum ou de não satisfazer as expectativas dos outros. Mas podemos mudar nosso pensamento a qualquer instante. Só depende de nós. Tudo o que temos a fazer é descobrir nossos talentos, desenvolvê-los e usá-los para enriquecer a vida das pessoas. Os benefícios logo virão. E as alegrias também.

Hoje temos um importante papel a desempenhar nas vidas que tocamos. Se buscarmos um objetivo, ele estará à mão. É bom lembrar que não estamos sozinhos; vivemos em parceria todos os momentos. Nossos talentos foram dados por Deus e a orientação para usá-los plenamente é parte dessa dádiva.

"Não quero morrer antes de ter aproveitado ao máximo meu talento e cuidado da semente que existe dentro de mim até surgir o último broto."

– Kathe Kollwitz

130

Sou um aluno da vida. Só posso aprender se estiver aberto para o que os mestres têm a me ensinar.

Confiar que todas as pessoas, todas as situações e todos os acontecimentos são para o nosso bem nos libertará do medo, fazendo com que sigamos em frente com um passo mais rápido e uma segurança que facilita tudo. Hoje vamos nos abrir às inúmeras oportunidades da vida.

Nenhum obstáculo, nenhuma pessoa difícil, nenhum período conturbado podem interromper nosso progresso. Qualquer relacionamento pessoal ou profissional é importante para nosso desenvolvimento. Todas as experiências servem apenas para nos ensinar o que ainda não aprendemos.

Precisamos estar abertos aos encantos da vida. Podemos pensar nos dias passados e agradecer as lições que nos deram. E olhar com esperança para os dias que estão por vir. Estamos numa jornada especial, com um propósito único e maravilhoso.

Os mestres estão por toda parte, para nos ajudar a nos livrar do peso do passado e aceitar a vontade de Deus. Quando estivermos prontos para uma nova lição, eles vão aparecer.

"Ninguém é seu amigo, ninguém é seu inimigo. Todo mundo é seu mestre."

– Florence Scovel Shinn

131

A coragem de mudar vem junto com a fé. Meus medos estão me dizendo para buscar, internamente, a fonte espiritual de força que está sempre presente, mas muitas vezes é esquecida.

A dor é necessária para o crescimento, mas, quando ela não vai embora, precisamos refletir sobre nosso comportamento. Uma auto-avaliação honesta pode indicar que é preciso mudar de atitude, mudar um comportamento específico ou mesmo mudar de direção. Às vezes saímos do caminho certo, mas nem percebemos e seguimos felizes até os obstáculos surgirem, as portas se fecharem, as experiências se tornarem dolorosas demais.

Muitas pessoas se entregam ao sofrimento não por gostar dele, mas pelo fato de ser uma situação tão conhecida que lhes dá alguma segurança. Todos nós encontramos um certo conforto na dor porque, pelo menos, ela não traz surpresas.

Quando nossa confiança em Deus é grande, temos mais disposição para mudar. Devemos prestar atenção nos sinais que apontam uma nova direção a seguir. Cada um de nós tem que percorrer sozinho a estrada da transformação – as mudanças que precisamos ter coragem de fazer são específicas para as nossas necessidades.

"Ninguém me disse que mudar era tão difícil e solitário."

– Joan Gilbertson

132

Tentarei encarar com entusiasmo o desmoronamento do meu mundo. Isso significa crescimento intelectual, emocional e espiritual. Os velhos ideais me prendem – ousarei sonhar novos sonhos e seguirei com confiança para onde eles me levarem.

Transformar-se deixa nosso mundo de cabeça para baixo, mas de um jeito certo. Superamos os ideais de ontem e começamos a colocar em prática os sonhos do ano passado. Agora estão surgindo novos sonhos.

Cada dia oferece boas oportunidades de "criar" novas realidades para substituir antigos mitos, vícios e hábitos. Deixar o passado para trás exige paciência, persistência e força. Eram esses mitos que nos consolavam quando não tínhamos quase nada.

Precisamos nos lembrar que, se eles não tivessem sido destruídos no ano passado ou na semana passada, não estaríamos progredindo e nos desenvolvendo como agora. Temos um papel no teatro da vida, assim como nossos filhos, amigos e parceiros. Novos sonhos vão nos orientar pelo caminho. Os velhos ideais foram úteis ontem, mas não podem guiar nosso presente.

"Quando nossos mitos, sonhos e ideais são destruídos, nosso mundo desaba."

– Kathleen Casey Thiesen

133

Vou prestar atenção aos meus desejos. Vou rezar pedindo sabedoria para realizá-los. Todas as portas se abrirão e meus passos serão guiados, se o desejo for bom para o meu crescimento espiritual.

Nossos sonhos e desejos nos motivam a ir além de onde estamos agora. Aquilo que somos capazes de realizar vai chamar nossa atenção e, com certeza, receberemos apoio para dar os passos necessários ao cumprimento dessa meta.

No passado, muitas vezes queríamos alguma coisa, mas nem sempre conseguíamos atingir nossas metas por causa da insegurança e da falta de compromisso. Ao longo do nosso processo de amadurecimento, percebemos que, com disciplina e fé, podemos alcançar nossos desejos verdadeiros.

Nossos anseios, quando não causam prejuízo a nós mesmos ou aos outros, nos incentivam a descobrir todo o nosso potencial. Se seguirmos a orientação interior e confiarmos na direção que recebemos, não nos faltarão coragem, força, talento e desenvoltura. Toda a sabedoria necessária para cumprir qualquer tarefa, atingir qualquer meta, realizar qualquer desejo está tão próxima quanto nossa devoção a Deus.

"O desejo e a ânsia são os chicotes de Deus."

ANNA WICKHAM

134

O dia de hoje está à minha disposição para eu aproveitá-lo ou ficar apreensivo. A decisão é sempre minha.

Escolhemos a vida que levamos. Escolhemos a tristeza ou a felicidade, a vitória ou a derrota, o medo ou o entusiasmo. Tenhamos ou não consciência disso, estamos fazendo escolhas a cada momento.

Aceitar a total responsabilidade por nossos atos é uma das exigências da maturidade. Nem sempre é o mais fácil, mas é necessário para o nosso desenvolvimento. E ganhamos um benefício inesperado com essa postura: ficamos mais conscientes de nosso poder pessoal.

Nosso bem-estar está ao nosso alcance. A felicidade está ao nosso alcance. A vida só "faz" conosco aquilo que permitimos. E vai nos favorecer com o que escolhermos. Se quisermos alegria, vamos encontrá-la. Podemos buscar o lado positivo de qualquer experiência.

Todas a situações trazem sementes de uma nova compreensão, se estivermos abertos a elas. Nossas reações aos fatos determinam o sentido da vida. Nós controlamos a avaliação que fazemos. E nosso ponto de vista decide nosso futuro.

"Depois da tempestade, os pássaros cantam. Por que as pessoas não podem se sentir livres como eles para apreciar o que sobrou para elas?"

– Rose Fitzgerald Kennedy

135

Vou conhecer uma nova liberdade quando deixar
a vida me levar e confiar que "meu plano"
está se realizando como deve.
Farei a minha parte e nada mais.

Nunca vamos ter certeza da importância de um determinado fato na nossa vida. Mas de uma coisa podemos estar certos: cada experiência tem seu valor para o nosso desenvolvimento. As vivências passadas não podem ser descartadas, pois também contribuíram para as conquistas do presente. E o que quer que aconteça hoje vai influenciar nosso amanhã.

Talvez nossa maior dificuldade seja acreditar que a vida é um processo que nos trará coisas boas – em que crescimento e mudança estão garantidos. Não é fácil confiar, mas podemos aprender a fazer isso. Assim encontraremos a liberdade.

Um bom começo é não pensar no resultado de cada experiência, e sim nos nossos esforços. Saber que fizemos o melhor que podíamos diminui a frustração e reforça a nossa crença na bondade da vida.

"Existe um plano divino trabalhando a meu favor. Vou relaxar e deixar que ele se realize."

– Ruth P. Freedman

136

Vou me deixar levar pela maré. Tenho certeza de que chegarei mais perto do meu destino.

Caminhar a favor do vento ou deixar-se levar pela maré facilitam os passos que precisamos dar para nossa plenitude pessoal. Aprender a se esquivar das situações negativas que enfrentamos faz parte do processo de crescimento. Os conflitos com os outros sempre têm um preço alto demais: ou nos envergonhamos de nossos atos ou os danos acabam sendo irreparáveis. Em geral, temos uma enorme recaída emocional.

Nenhuma briga compensa o prejuízo psicológico que causa. Enfrentar as dificuldades sem resistir é a forma mais segura de traçar nossa jornada diária. As barreiras que surgem em nosso caminho podem fortalecer nossa confiança em Deus. Vamos tirar proveito de todas as experiências que tivermos. O progresso que fazemos na direção de nossas metas é proporcional à suavidade de nossos passos.

"Às vezes é melhor perder uma luta do que ganhá-la."

– Billie Holiday

137

O processo é simples, se eu quiser segui-lo. As respostas me aguardam, se eu realmente buscá-las. Só preciso ficar quieto e pedir a Deus que me dê a orientação necessária. E depois permanecer mais um pouco em silêncio.

Nenhuma resposta nos escapará se buscarmos a fonte de todas as respostas: o silêncio dentro de nós. A oração seguida de meditação sempre nos dará as soluções para a situação que enfrentamos. Mas não há garantia de que receberemos as respostas que *queremos* ouvir. Precisamos acreditar que seremos orientados a dar os passos certos. Nosso bem-estar estará assegurado se desistirmos de controlar tudo, entregando nossos desejos aos cuidados de Deus, o mensageiro dentro de nós. Ele jamais esconde as respostas.

O problema é que muitas vezes não conseguimos calar nossos pensamentos para escutar a mensagem de Deus. Deixamos a mente correr, passamos de um cenário a outro, de um medo a outro, de uma emoção a outra. Os pensamentos se perdem, mudam de rumo, e acabamos nos afastando da solução. É um grande conforto saber que todas as respostas estão tão próximas quanto nossos momentos de silêncio.

"Fique quieto e ouça o silêncio dentro de você."

– Darlene Larson Jenks

138

Hoje só vou mudar quem eu posso: eu mesmo.

É muito difícil desistir de controlar e de tentar modificar os outros. Vivemos na ilusão de que, se mudássemos o jeito de ser das pessoas à nossa volta, nossos problemas estariam resolvidos. Na verdade, só precisamos rever nossa atitude.

Assumir a responsabilidade de melhorar a própria vida é um passo importante para a saúde emocional. Culpar os outros nos paralisa e não melhora em nada a nossa situação.

Deus nos concedeu coragem para mudar o que podemos: nós mesmos. Nosso poder superior está à nossa disposição, basta usá-lo. A decisão diária de pensar, rezar e ser totalmente responsáveis por nossos atos vai estimular nosso desenvolvimento. Cada escolha responsável nos leva à plenitude, fortalecendo nosso eu e nosso bem-estar.

"Há duas formas opostas de enfrentar os problemas da vida. Uma é tentar mudar o mundo; a outra, tentar mudar a si mesmo."

– Joanna Field

139

Vou lembrar que a pessoa que sou por dentro é a que realmente conta para os outros.

É muito comum ficarmos preocupados demais com a aparência. A cultura contemporânea incentiva isso através da mídia, da família ou dos amigos. Muitos se angustiam ao perceber que sua juventude está indo embora.

Talvez seja hora de prestar atenção às pessoas que admiramos pelo que fizeram. Devemos elogiá-las, prestigiá-las, celebrar sua beleza interior – a única que pode aumentar com o tempo, graças à dignidade, à perseverança e à coragem.

Precisamos cultivar nossos interesses. Eles vão contribuir para nossas conquistas, que, por sua vez, vão dar profundidade à nossa alma – de onde provém a verdadeira beleza. As pessoas maduras que têm esse tipo de beleza são as que deveríamos querer atrair para as nossas vidas para nos servir de modelo.

Como um rosto bonito é efêmero! Quem não enxerga além dele é mais superficial ainda. Beleza e juventude passam. Só não é fugaz a beleza da personalidade, que tende a melhorar com o tempo.

"A personalidade ajuda a beleza. Fortalece a mulher à medida que ela envelhece."

– JACQUELINE BISSET

140

Vou dar carinho e atenção às pessoas ao meu redor e abençoar cada uma delas. Elas estão na minha vida porque precisam de mim, da mesma forma que eu preciso delas.

Estamos sempre em comunicação uns com os outros e, espiritualmente, com Deus. Por mais singular que pareça nosso caminho, ele corre paralelamente a muitos outros. E todos vão se cruzar quando for preciso. Isso acontecerá quando outra alma buscar nossa atenção. Nessa hora, devemos ser atenciosos e carinhosos. O crescimento de outras pessoas – e o nosso – está em jogo.

Podemos ser gratos por nosso envolvimento em outras vidas. A contribuição que temos a dar é única e nós também precisamos da colaboração das outras pessoas. Não há encontro que não seja significativo em nossa passagem pela vida – cada um deles faz parte do destino dos dois envolvidos.

"Quando as pessoas incomodam você de alguma maneira, é porque a alma delas está tentando conseguir sua atenção divina e sua bênção."

– Catherine Ponder

141

Vou exercitar meu poder pessoal. As escolhas que faço determinam meu desenvolvimento.

É muito estimulante ter o poder de escolher cada atitude que tomamos, cada ação que empreendemos. Somos totalmente responsáveis por nosso desenvolvimento. O que vamos fazer hoje? Só depende de nós. O que vamos decidir sobre determinado assunto? Nossas opções são limitadas apenas por nossa própria visão.

Cada decisão é uma oportunidade de dar um passo que vai, forçosamente, influenciar todos os seguintes. Da mesma forma que somos interdependentes, precisando dos outros e influenciando-os em todas as situações que nos unem, nossas decisões nunca são isoladas. Cada uma é importante e seu impacto se multiplica sobre outras decisões.

Nós escolhemos viver plenamente o dia de hoje, aproveitando todas as oportunidades que surgirem. Nosso crescimento pessoal e nosso desenvolvimento emocional e espiritual estão em nossas mãos. Deus vai nos dar a orientação. Mas a decisão de agir é só nossa.

"Você não pode escolher como vai morrer nem quando. Só pode escolher como vai viver. Agora."

– Joan Baez

142

Sou amado, incondicionalmente, por Deus. E quanto mais eu sentir esse amor, mais fácil será dá-lo aos outros. O amor quer – e pode – me transformar.

Ao amar e ser amados, nós mudamos. Nossas atitudes são profunda e positivamente afetadas pelo amor. Cada vez que respondemos de maneira carinhosa a um amigo, a um colega de trabalho ou mesmo a um estranho, influenciamos a dinâmica daquele momento.

Por outro lado, se tratamos os outros com desdém, provocamos a mesma atitude. Quando só temos críticas em relação às pessoas, nossa auto-avaliação acaba se tornando negativa. A beleza de ter uma postura amorosa é que ela desperta o amor no outro.

Qualquer tarefa que tenhamos pela frente fica mais leve quando amamos e somos amados. O amor é mais forte que o medo. Ele ajuda a estabelecer contato com Deus, garantindo a força, a compreensão e a paciência necessárias para realizar qualquer tarefa.

"O amor tem a qualidade de dar ânimo a quase tudo – até ao trabalho."

– Sylvia Ashton-Warner

143

Não vou transformar os pequenos obstáculos à minha frente em montanhas.

Nunca estaremos totalmente livres das dificuldades, mas temos a capacidade de eliminar a ameaça e o temor de cada desafio. A avaliação que fazemos dos fatos é que dá a eles um peso maior ou menor: nós os rotulamos de bons ou ruins, valiosos ou inúteis. E hoje nosso crescimento é muito influenciado pela visão que temos das nossas experiências.

À medida que nos fortalecemos emocional e espiritualmente aprendemos que todas as dificuldades são oportunidades de crescimento. Podemos enfrentar qualquer experiência se acreditarmos que ela tem um propósito positivo.

Compartilhamos cada instante da vida com um poder maior. Não precisamos nos preocupar, pois Deus está olhando por nós. A atitude que cultivávamos era o que transformava qualquer situação em conflito. Podemos deixar nossos problemas de lado. E então encontraremos a saída.

"Os problemas têm exatamente o tamanho e a força que você dá a eles."

– S. H.

144

Não há problema em sentir raiva. Se eu souber usá-la, será um fator de crescimento.

A raiva não é uma emoção boa nem ruim. Ela simplesmente surge quando a nossa expectativa é contrariada. A raiva pode ser saudável se nos ajudar a agir. Mas, quando não fazemos nada para nos livrar dela, a raiva influencia negativamente tudo o que vivemos, inclusive nossa interação com os outros.

Precisamos tirar proveito de todas as nossas emoções e confiar que elas podem nos servir se forem bem aproveitadas e se soubermos aprender com elas. Nossas emoções revelam as muitas faces da nossa alma, do nosso eu interior. Todas são válidas e merecem respeito e aceitação.

Como nos sentimos menos à vontade com a raiva, ela se torna mais poderosa. Quando negamos sua existência, ela não some – vem à tona em horas e situações inesperadas, complicando a nossa vida. Podemos aprender a tirar proveito da ação positiva que a raiva provoca e valorizar o crescimento que ela nos proporciona quando damos os passos que precisamos dar.

"A mudança ocorre quando a pessoa se torna o que é, não quando tenta ser o que não é."

– Ruth P. Freedman

145

Não vou desistir de um projeto. Vou insistir e terminá-lo. Vou me sentir pleno.

A perseverança pode ser nosso maior bem. À medida que avançamos num projeto difícil nossa confiança e nossas habilidades aumentam, preparando-nos também para alcançar a próxima meta.

Todos nós temos algo especial, único, para oferecer ao mundo. E temos o potencial para realizar nosso dom, embora nem sempre tenhamos consciência dele. Não podemos impedir nosso desenvolvimento por medo de fracassar, por baixa auto-estima ou por nos julgarmos inadequados.

Nossas qualidades estão à disposição para serem usadas, as metas e os projetos esperam que nós os realizemos. Qualquer compromisso que assumimos com uma tarefa que nos interessa é reforçado pelo compromisso de Deus em nos ajudar. Temos um parceiro. Nossos esforços são sempre duplicados quando os realizamos com vontade.

"O esforço contínuo – não a força ou a inteligência – é a chave que libera nosso potencial."

– LIANE CORDES

146

Não existe melhor hora do que agora
para me alegrar com o que já realizei.

Uma qualidade que todos nós temos, muito humana, é desejar ser perfeitos, esperar resultados impossíveis em tudo o que fazemos. Temos de nos alegrar pelas coisas boas que já realizamos. Cada vez que festejamos um trabalho bem-feito nossa confiança aumenta mais um pouquinho. Nosso amadurecimento pode ser avaliado por nossa saúde emocional e espiritual e nossa fé no processo de crescimento.

Precisamos admitir e festejar nossos pontos fortes, pois assim eles ficarão mais fortes ainda. Da mesma forma, precisamos rezar e ouvir as mensagens de orientação – para desenvolver nossos laços com Deus e, o mais importante, para sermos capazes de perceber quando a ajuda está próxima.

Ter metas realistas para o dia ou para o ano é sinal de saúde emocional. Outro sinal de que estamos indo bem é não perder tempo com o que não pode ser feito ou obtido agora. Só precisamos mudar de atitude para ir de onde estamos para um lugar emocionalmente melhor.

"Não é o que você faz, meu bem,
É o que deixa de fazer
Que dá um leve pesar
No final do dia."

– Margaret Sangster

147

Terei coragem de cometer um erro.
Ele é uma promessa de crescimento.

A vida é um processo em constante mutação. Cada mudança nos traz oportunidades inesperadas de crescimento. É a transformação que promove nosso desenvolvimento, que nos faz arriscar um novo comportamento e errar de vez em quando. Felizmente, nenhum deslize pode nos atrapalhar seriamente. Na verdade, a maior parte dos erros nos dá mais uma oportunidade de aprender.

Estamos hoje num lugar bem distante de onde estávamos no ano passado ou mesmo na semana passada. Cada experiência influencia as decisões que tomamos a partir deste momento. O processo do qual estamos participando garante nosso crescimento, desde que continuemos conscientes de nossas oportunidades e dispostos a aceitá-las. Podemos nos alegrar porque o processo da vida, na verdade, nunca pára, movimenta-se o tempo todo, sempre nos convidando a participar plenamente dele.

"Não fazer nada é fracassar. Tentar – e cometer alguns erros por causa das tentativas, e fazer mudanças positivas em conseqüência dos erros – é aprender, crescer e florescer."

– Darlene Larson Jenks

148

Quando acredito na vitória, eu venço.
Existe uma mágica em acreditar.

Recebemos muito pouco da vida quando ficamos passivos diante dos acontecimentos. O envolvimento é um pré-requisito se quisermos crescer. Precisamos de entusiasmo para atingir nossas metas, de vigor para saudar o dia com esperança. Quando encaramos o dia com ânimo, estamos abertos a todas as possibilidades.

Para amadurecer emocionalmente e nos desenvolver espiritualmente, devemos aproveitar as oportunidades. Se ficarmos à margem da vida, não iremos além de onde estamos agora. Só transformaremos nossa vida quando colocarmos em prática nossas novas crenças. Essa mudança nos afastará da visão passiva e negativa do passado.

Não somos mais a mesma pessoa de tempos atrás. Estamos muito melhores! Cada dia nos aproxima da plenitude que almejamos na vida.

"Precisamos acreditar em alguma coisa que arrebate nosso coração."

– Hannah Senesh

149

Sempre existe risco nos relacionamentos, assim como possibilidade de sofrimento. Mas o crescimento é garantido e vou encontrar a felicidade que busco.

É necessário relacionar-se com outras pessoas para fugir da solidão, mas não há qualquer garantia de que não vamos nos machucar. Manter um relacionamento importante com outra pessoa exige paciência, mesmo que essa não seja a nossa maior qualidade. Exige tolerância, ainda que não a tenhamos. Exige desprendimento, exatamente naqueles momentos em que mais precisamos que os outros nos dêem atenção.

Mesmo assim, temos que interagir com as pessoas. Os relacionamentos nos inspiram, nos ensinam quem somos e quem podemos nos tornar. A troca com o outro estimula nossa criatividade e nosso desenvolvimento emocional e espiritual, apressando nossas realizações. Cada situação nos leva a dar um passo à frente.

"A bondade e a inteligência nem sempre nos livram das armadilhas. Não há como eliminar o perigo das relações humanas."

– Barbara Grizzuti Harrison

150

O hoje está diante de mim. Vou começar com uma prece silenciosa e um momento de meditação. Posso fazer progressos.

Não almejamos a perfeição, e sim o progresso. Em muitas ocasiões teremos a impressão de que regredimos, de que retomamos antigos comportamentos. Vamos nos sentir incapazes de mudar, de seguir em frente, de marcar pontos a favor. Mas essas fases vão passar e logo o progresso ficará de novo evidente.

Precisamos ter cuidado com nosso nível de exigência. A busca da perfeição faz com que nossos avanços nunca pareçam suficientes. Mas, acredite, devemos nos contentar com o que podemos fazer – e só precisamos fazer aquilo de que realmente somos capazes. Devemos nos aceitar plenamente, com nossas imperfeições.

Dar atenção cotidiana à nossa espiritualidade vai favorecer a saúde espiritual e emocional que almejamos. A oração e a meditação, junto com uma auto-avaliação sincera, podem nos mostrar o progresso necessário e o progresso já obtido. Às vezes, vamos hesitar; outras, nos descuidaremos um pouco. Mas o progresso jamais estará fora do nosso alcance. *E cada dia é um novo começo.*

"A compreensão segue uma espiral ascendente, não uma linha reta."

– Joanna Field

CONHEÇA OUTROS TÍTULOS DA EDITORA SEXTANTE

A vida vai dar certo para mim

IYANLA VANZANT

Se você está vivendo uma situação a que deveria dar um basta, enfrentando problemas nos seus relacionamentos e sentindo medo ou ressentimento, esse livro pode ser um valioso instrumento de reflexão, crescimento e mudança.

A vida vai dar certo para você, se este for seu desejo. No entanto, você precisa assumir seus sentimentos e se dispor a renovar sua forma de pensar e de agir para iniciar um novo caminho. Para ajudar nesse processo, Iyanla Vanzant reuniu 365 textos – entre pensamentos, princípios e reflexões – que vão contribuir para o seu autoconhecimento. Você terá a oportunidade de descobrir a essência mais profunda do seu ser, construindo, a partir dela, a sua vida.

Descubra sua essência espiritual

IYANLA VANZANT

Todos nós somos capazes de controlar nossas vidas. Para isso precisamos apenas estar em sintonia com nossa essência espiritual. Mas às vezes nos deixamos levar pelas aparências ou tentamos atender às expectativas dos outros, ficando insatisfcitos.

Em *Descubra sua essência espiritual*, Iyanla Vanzant nos ensina a usar a energia que existe em nossas emoções para ultrapassar sentimentos dolorosos e negativos e alcançar a força e o poder que se encontram abafados dentro de cada ser humano. Ela nos apresenta algumas ferramentas espirituais – entre elas a aceitação, o perdão e a responsabilidade – que ajudam a revelar a nossa verdade e a curar feridas.

Os sete níveis da intimidade

MATTHEW KELLY

A intimidade é uma necessidade legítima do ser humano sem a qual não é possível ser feliz. No entanto, conquistá-la não é uma tarefa simples, pois temos medo de ser rejeitados se revelarmos nossos sonhos, esperanças, medos e fragilidades. Ao nos tornarmos profundamente íntimos de alguém, perdemos o medo de ser julgados.

Nesse livro, Matthew Kelly nos ensina que a busca da intimidade deve ser um esforço diário e que o amor é uma escolha. Ao escolher amar, você será capaz de aprofundar seus relacionamentos e de realizar plenamente seu propósito essencial: tornar-se a melhor pessoa que você pode ser.

Simples verdades

KENT NERBURN

Inspirador, estimulante e revelador, *Simples verdades* é um poderoso instrumento de reflexão que provoca uma releitura da vida e dos valores que nos impulsionam.

Motivado pelo nascimento do filho e pela responsabilidade de guiá-lo em meio ao emaranhado da vida, Kent Nerburn organizou uma série de conselhos amorosos e afetivos sobre algumas das grandes questões da vida. Com idéias provocadoras sobre assuntos tão diversos quanto educação, trabalho, dinheiro, solidão, amor, ser pai ou mãe, jornada espiritual, velhice e morte, o autor nos convida a celebrar as coisas simples da vida.

CONHEÇA OS 30 CLÁSSICOS DA EDITORA SEXTANTE

O Código Da Vinci, Anjos e Demônios, Fortaleza Digital e *Ponto de Impacto*, de Dan Brown

Pais brilhantes, professores fascinantes, Nunca desista de seus sonhos e *Você é insubstituível*, de Augusto Cury

O monge e o executivo e *Como se tornar um líder servidor*, de James C. Hunter

Jesus, o maior psicólogo que já existiu, de Mark W. Baker

1000 lugares para conhecer antes de morrer, de Patrícia Schultz

Um dia "daqueles" e *O sentido da vida*, de Bradley Trevor Greive

Por que os homens fazem sexo e as mulheres fazem amor?, de Allan e Barbara Pease

Os 100 segredos das pessoas felizes, de David Niven

Enquanto o amor não vem, de Iyanla Vanzant

A última grande lição e *As cinco pessoas que você encontra no céu*, de Mitch Albom

A Dieta de South Beach, de Arthur Agatston

O ócio criativo, de Domenico De Masi

A Boa Sorte, de Álex Rovira Celma e Fernando Trías de Bes

Não leve a vida tão a sério, de Hugh Prather

O Poder do Agora, de Eckhart Tolle

Palavras de sabedoria, de Sua Santidade, o Dalai-Lama

Muitas vidas, muitos mestres e *Muitas vidas, uma só alma*, de Brian Weiss

Histórias para aquecer o coração, de Jack Canfield e Mark V. Hansen

Conversando com os espíritos, de James Van Praagh

Mantenha o seu cérebro vivo, de Lawrence Katz e Manning Rubin

Aprendendo a silenciar a mente, de Osho

INFORMAÇÕES SOBRE OS PRÓXIMOS LANÇAMENTOS

Para receber informações sobre os lançamentos da EDITORA SEXTANTE, basta enviar um e-mail para atendimento@esextante.com.br ou cadastrar-se diretamente no site www.sextante.com.br

Para saber mais sobre nossos títulos e autores, e enviar seus comentários sobre este livro, visite o nosso site: www.sextante.com.br

EDITORA SEXTANTE
Rua Voluntários da Pátria, 45 / 1.404 – Botafogo
Rio de Janeiro – RJ – 22270-000 – Brasil
Telefone: (21) 2286-9944 – Fax: (21) 2286-9244
E-mail: atendimento@esextante.com.br

260